B2

Annette Müller
Sabine Schlüter

unter Mitarbeit von
Tina Jakobsen

Im Beruf

Kursbuch

Deutsch als Fremd- und Zweitsprache

Hueber Verlag

Für die hilfreichen Hinweise bei der Entwicklung des Lehrwerks danken wir
Constance Schmidt und Sabine Swoboda, WIPA Berlin

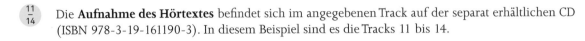

Die **Audio-Dateien für die Seiten „Kommunikation & Grammatik"** finden Sie unter
www.hueber.de/im-beruf/lernen

$\frac{11}{14}$ Die **Aufnahme des Hörtextes** befindet sich im angegebenen Track auf der separat erhältlichen CD (ISBN 978-3-19-161190-3). In diesem Beispiel sind es die Tracks 11 bis 14.

AB Zu so gekennzeichneten Aufgaben gibt es im **Arbeitsbuch** (ISBN 978–3–19–131190–2) Übungen. Die genaue Zuordnung ist im Arbeitsbuch ersichtlich.

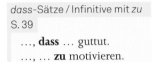

Eine **Übersicht über das Grammatikthema** befindet sich auf der angegebenen Seite, in diesem Beispiel also auf S. 39.

6. 5. 4. | Die letzten Ziffern
2020 19 18 17 16 | bezeichnen Zahl und Jahr des Druckes.
Alle Drucke dieser Auflage können, da unverändert,
nebeneinander benutzt werden.
1. Auflage
© 2013 Hueber Verlag GmbH & Co. KG, Ismaning, Deutschland
Verlagsredaktion: Thomas Stark und Nora Tahy, Hueber Verlag, Ismaning
Umschlaggestaltung, Layout und Satz: Sieveking · Agentur für Kommunikation, München und Berlin
Druck und Bindung: Firmengruppe APPL, aprinta druck GmbH, Wemding
Printed in Germany
ISBN 978–3–19–101190–1

Art. 530_00697_001_04

Inhalt

Inhalt

Liebe Leserinnen, liebe Leser,

IM BERUF ist ein berufssprachliches Lehrwerk für Deutsch als Fremdsprache und als Zweitsprache.
Es führt zum Sprachniveau B1+ / B2.
IM BERUF geht in seiner Themenauswahl auf die typischen beruflichen Situationen ein und präsentiert
die dafür notwendigen sprachlichen Mittel. Die ausgewählten Berufe sind immer Beispiele, die präsentierten
sprachlichen Mittel sind immer in den entsprechenden Situationen jedes anderen Berufs einsetzbar.

Die 15 Lektionen des Kursbuchs umfassen jeweils vier Seiten und folgen einem wiederkehrenden,
transparenten Aufbau:

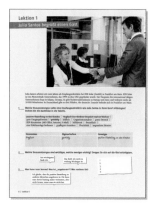   

Der **Einstieg** präsentiert
eine berufliche Situation
am Beispiel einer konkre-
ten Person. Zu diesem
Einstiegsimpuls gibt es
erste Aufgaben, die in die
Thematik einführen und
das Vorwissen der Ler-
nenden aktivieren.

Auf den folgenden **A-, B- und C-Seiten** steht immer eine Sprachhandlung im Fokus.
Die dafür nötigen Strukturen werden erarbeitet und in den folgenden Aufgaben
zunächst gelenkt, dann frei eingeübt. Die Redemittel- und Grammatikkästen machen
den Lernstoff der Seiten bewusst. Die freien Aufgaben am Ende der Seiten bieten
authentische Sprech- und Schreibanlässe aus dem beruflichen Alltag. So ermöglicht
jede Seite echte Kommunikation im Kurs.

Auf jeweils 3 Lektionen folgt eine *Extra*-Doppelseite
und eine Doppelseite *Kommunikation & Grammatik*.
Die **Extra-Doppelseiten** befassen sich mit interkulturell
relevanten Themen aus der Berufswelt. Die Doppelseite
Kommunikation & Grammatik präsentiert noch einmal gesammelt die Redemittel der drei vorangehenden
Lektionen und erläutert die Grammatik der Lektionen
detailliert. Zu den Redemitteln und Strukturen finden
Sie auf unserer Internetseite www.hueber.de/im-beruf/
lernen Audio-Dateien mit Automatisierungsübungen
für zu Hause und unterwegs. Der Zugangscode lautet
e5b5ab6b0z.

Das separate **Arbeitsbuch** bietet zu jeder Lektion eine große Fülle an Übungen für den Unterricht oder die
selbstständige Arbeit zu Hause.

Viel Spaß und Erfolg beim Lernen und Unterrichten mit IM BERUF wünschen Ihnen
die Autorinnen und der Verlag

Lektion 1

Julia Santos begrüßt einen Gast

Julia Santos arbeitet seit zwei Jahren als Empfangssekretärin bei KFR Solar (GmbH) in Frankfurt am Main. KFR Solar ist ein Photovoltaik-Unternehmen, das 1999 in den USA gegründet wurde. Der Hauptsitz des international tätigen Unternehmens liegt in Atlanta, Georgia. Es gibt Tochterunternehmen in Europa und Asien und weltweit mehr als 20 000 Mitarbeiter. In Deutschland gibt es drei Filialen, die deutsche Zentrale befindet sich in Frankfurt am Main.

1 Welche Voraussetzungen sollte eine Empfangssekretärin wie Julia Santos für ihren Beruf mitbringen? Ordnen Sie die Ausdrücke in die Tabelle ein.

~~positive Einstellung zu den Kunden~~ | ~~Englisch (im direkten Gespräch und am Telefon)~~ |
gute Umgangsformen | ~~geduldig~~ | höflich | Organisationstalent | gutes Deutsch |
EDV-Kenntnisse (MS Office, Internet, E-Mail) | hilfsbereit | freundlich |
eine Telefonanlage bedienen | gepflegtes Aussehen | Flexibilität | angenehme Stimme

Kenntnisse	Eigenschaften	Sonstiges
Englisch	geduldig	positive Einstellung zu den Kunden

2 Welche Voraussetzungen sind wichtiger, welche weniger wichtig? Einigen Sie sich auf die fünf wichtigsten.

> Am wichtigsten finde ich …

> Das finde ich nicht so wichtig. Wichtiger ist …

1.
2.
3.
4.
5.

3 Was kann man lernen? Was ist „angeboren"? Was meinen Sie?

> Ich glaube, dass die positive Einstellung zu anderen Menschen angeboren ist. Die kann man durch Training sicher verbessern, aber nicht lernen, wenn man sie nicht hat.

A Kunden begrüßen

01 **A1** Julia Santos begrüßt Herrn Greiner von der Firma EE Nord AG. Herr Greiner, ein potenzieller Neukunde aus Hamburg, möchte sich die verschiedenen Lösungen für Solarmodule ansehen. Hören Sie das Gespräch. Welche Themen kommen vor? Markieren Sie. AB

> Wetter | Verabschiedung | Thema der Sitzung | etwas zu trinken anbieten | Garderobe | Frage nach dem Befinden | etwas zu essen anbieten | Familie | Begrüßung | Probleme in der Arbeit | finanzielle Situation | Anreise

A2 Wie verläuft so ein Begrüßungsgespräch in Ihrem Land? Was ist gleich, was ist anders? Erzählen Sie.

> Bei uns ist es unhöflich, so schnell zum Thema zu kommen. Man spricht viel länger über allgemeine Themen und schafft so eine persönlichere Beziehung. Wie in dem Gespräch ist es auch bei uns wichtig, dass …

A3 | a Lesen Sie die Redemittel. Eines in jeder Kategorie passt nicht. Streichen Sie. AB

jemanden begrüßen und sich vorstellen ""
~~Darf ich Ihnen einen Kaffee anbieten?~~
Guten Tag, herzlich willkommen.
Schön, Sie bei uns begrüßen zu dürfen.
Guten Tag, mein Name ist … ""

Gesprächspartner informieren ""
Ich sage eben … Bescheid, dass Sie da sind.
Ich informiere …, dass Sie eingetroffen sind.
… ist noch in einer Besprechung. Er/Sie wird in … Minuten …
Darf ich Ihnen schon einmal etwas zu trinken anbieten? ""

über die Anreise sprechen ""
Wie war die Reise, Frau … / Herr …?
Hatten Sie einen guten Flug / eine gute Fahrt?
Sind Sie mit der Bahn gekommen?
Wie geht es Ihnen? ""

etwas zu trinken anbieten ""
Was darf ich Ihnen anbieten?
Möchten Sie Kaffee oder Tee?
Wir würden Sie heute Mittag gern zum Essen einladen.
Kann ich Ihnen Wasser oder Saft anbieten? ""

sich verabschieden ""
Auf Wiedersehen und einen schönen Tag noch.
Das ist aber eine Überraschung.
Ich wünsche Ihnen eine gute Heimreise.
Vielen Dank für Ihren Besuch. ""

b Rollenspiel: Arbeiten Sie zu zweit. Wählen Sie eine Situation und spielen Sie ein Begrüßungsgespräch. Verwenden Sie die Redemittel aus A3a.

Situation 1 *Partner A:* Sie arbeiten als Empfangssekretär/in bei KFR Solar und begrüßen einen Geschäftspartner aus Rostock, den Sie schon lang kennen. Fragen Sie nach dem Befinden, sprechen Sie über die Anreise und bieten Sie etwas zu trinken an.

Partner B: Sie sind schon viele Jahre Geschäftspartner/in von KFR Solar und mit dem Zug angereist. Die Reise ist reibungslos verlaufen, aber Sie haben Kopfschmerzen. Bitten Sie um eine Kopfschmerztablette. Außerdem würden Sie gern etwas Kaltes trinken.

Situation 2 *Partner A:* Sie arbeiten an der Rezeption der Textilfabrik Meier & Co. Begrüßen Sie einen neuen Kunden. Der Gesprächspartner des Kunden ist noch 15 Minuten in einer Besprechung. Fragen Sie nach dem Befinden, sprechen Sie über die Anreise und bieten Sie etwas zu trinken an.

Partner B: Sie sind die Kundin / der Kunde, die/der sich die neue Sommerkollektion ansehen möchte. Sie sind mit dem Auto gefahren. Das ging schneller als geplant und Sie sind etwas zu früh eingetroffen.

B Unternehmensstrukturen verstehen, über Aufgaben sprechen

**B1 | a Lesen Sie das Organigramm der KFR Solar.
Wer arbeitet in welcher Abteilung? Tragen Sie die
Information in das Organigramm ein.** AB

Entwicklung | Personalabteilung | Einkauf |
Geschäftsleitung | ~~Produktion~~ | Marketing |
Vertrieb | Kaufmännische Abteilung

Peter Norman hat das deutsche Tochterunternehmen von KFR Solar vor sieben Jahren
mit aufgebaut. Er ist für das Unternehmen
und die Mitarbeiter verantwortlich.

Frau Fuchs
arbeitet in der
Produktion.

Dipl.-Ing. Christian Hübner
entwickelt neue Lösungen
für Solarmodule. Zurzeit
arbeitet er an einer
Recyclingmethode für
die Solar-Module.

Produktion

Anna Fuchs kontrolliert
die Qualität der Produkte.
Sie kennzeichnet die ein-
wandfreien Module, die
anderen leitet sie zur
Nachbesserung weiter.

Franziska Neuner bestellt
und prüft das Material für
den Herstellungsprozess,
wie z. B. den Rohstoff
Silizium. Sie spricht oft
mit den Zulieferern.

Rüdiger Schmidt ist für
das Marketing verant-
wortlich. Er organisiert
Werbekampagnen und
schickt Kunden Informa-
tionsmaterial.

Thomas Berger ist für
den Vertrieb zuständig.
Er verhandelt oft mit
Kunden und arbeitet
eng mit Herrn Schmidt
zusammen.

Dr. Angelika Fischer stellt
Personal ein und führt
Vorstellungsgespräche.
Sie achtet auf das Be-
triebsklima in der Firma
und hilft bei Konflikten.

Brigitte Schär beschäftigt
sich mit den Finanzen der
Firma. Unter anderem
kümmert sie sich darum,
dass die Kunden die
Rechnungen bezahlen.

**b Markieren Sie in den Texten
die Adjektive und Verben
mit Präpositionen.** AB

Verben/Adjektive mit Präpositionen
S. 23

+ Akkusativ   verantwortlich **für**   wofür? / für wen?
+ Dativ   zusammenarbeiten **mit**   mit wem?

**c Ordnen Sie die markierten
Ausdrücke in die Tabelle ein.**

+ Akkusativ	+ Dativ
verantwortlich für	zusammenarbeiten mit

**B2 Rollenspiel: Arbeiten Sie zu zweit. Interviewen Sie die Mitarbeiter von KFR Solar.
Welche Aufgaben haben die Mitarbeiter? Stellen Sie Fragen mit *wofür*, *mit wem* usw.
Ihr/e Lernpartner/in antwortet. Tauschen Sie die Rollen.** AB

Herr Norman, wofür sind Sie in diesem
Unternehmen verantwortlich?

Als Geschäftsführer bin ich für das ganze Unternehmen
und die Mitarbeiter zuständig. Vor sieben Jahren habe ich
KFR Solar Deutschland mit aufgebaut und ich sorge dafür,
dass wir auch in Zukunft erfolgreich sein können.

C seinen Beruf vorstellen

C1 | a Brigitte Schär spricht über ihren Beruf. Hören Sie und ergänzen Sie Informationen zu den folgenden Punkten. AB

Beruf: _Betriebswirtin_
Berufsvoraussetzung: man muss gut _Rechnen_ können und braucht ein ___
Ausbildung: duales _Studium_ an einer _Academy_
Besonderheit dieser Ausbildung: Kombination von _Theory_ und _Practicum_
Sie arbeitet als _Finance Buchhaltung_
Zufriedenheit: _Die Arbeit gefällt ihr sehr gut_
Zukunftsperspektiven: _Ja, wenn ihre Chefin in die Rente geht_

b Ergänzen Sie die Satzteile. Hören Sie zur Kontrolle noch einmal, was Brigitte Schär erzählt. AB

> gefällt mir | Wir produzieren | ~~von Beruf~~ | absolviert | als | ist ein amerikanischer Konzern |
> Da muss man | Ich bin für | verantwortlich | auch wenn | Das hat den großen Vorteil | arbeite ich

Ich bin Betriebswirtin _von Beruf_. _Der muss man_ gut rechnen können, man braucht ein Gefühl für Zahlen. Meine Ausbildung habe ich an einer Berufsakademie gemacht, ich habe also ein duales Studium _Absolviert_. _Für 3 Jahre_, dass man den Arbeitsalltag und die Berufspraxis sehr gut kennen-lernt und trotzdem eine akademische Ausbildung hat. Seit sieben Jahren _arbeite ich_ hier bei KFR Solar in der kaufmännischen Abteilung ___ Finanzbuchhalterin. KFR Solar _ist die Amerikanische Firma_ mit Unternehmen in den USA, in Europa und in Asien. ___ Solarmodule, die wir weltweit vertreiben. ___ die Kreditoren- und Debitorenbuchhaltung ___. Die Arbeit _gefällt mir_ sehr gut, _auch_ ich manchmal den ganzen Tag vor dem Computer sitze.

C2 | a Stellen Sie Ihren Beruf vor oder den Beruf, den Sie in Zukunft ausüben möchten. Notieren Sie Informationen zu den folgenden Aspekten.

	Speditionskaufmann
Voraussetzungen für Ihren Beruf	flexibel, gut rechnen
Ausbildung / Studium	duale Ausbildung: Spedition und Berufsschule
Ihre Tätigkeit / Ihre Aufgaben (für diesen Beruf typische Tätigkeiten)	Tourenplanung, Kundengespräche, Angebote
Vor- und Nachteile in Ihrem Beruf (Warum wollten/möchten Sie diesen Beruf ergreifen?)	
Unternehmen: Branche, Produkte, Standort, Größe … (In was für einem Unternehmen würden Sie gern arbeiten?)	

b Überlegen Sie, welche Informationen Sie an den Anfang und welche Sie an den Schluss setzen. Schreiben Sie einen Text. Verwenden Sie die folgenden Redemittel. Sie können auch C1b als Vorlage nehmen. AB

> "
> *Ich bin ... von Beruf.*
> *In diesem Beruf braucht man vor allem ...*
> *Man muss besonders gut ...*
> *Die Ausbildung habe ich in/an ... absolviert/gemacht.*
> *Das Studium hat ... gedauert.*
> *Heute arbeite ich als ... / bei ...*
> *Mein Unternehmen ist ... / produziert ...*
> *Ich bin zuständig für ... / Ich bin verantwortlich für ...*
> *An meinem Beruf gefällt mir, dass man ..., auch*
>   *wenn ...*
> *In ein paar Jahren kann ich vielleicht ...*
> "

> "
> *Ich möchte ... werden.*
> *In diesem Beruf braucht man vor allem ...*
> *Man muss besonders gut ...*
> *Die Ausbildung zum ... absolviert/macht man in/an ...*
> *Das Studium dauert ...*
> *Ich würde gern bei / in einem ... arbeiten.*
> *... arbeiten oft als ... und sind für ... zuständig/verantwortlich.*
> *Der Beruf würde mir bestimmt Spaß machen, weil ..., auch*
>   *wenn ...*
> *In ein paar Jahren kann ich vielleicht ...*
> "

c Stellen Sie Ihren Beruf im Kurs vor. Versuchen Sie, frei zu sprechen und nicht vom Blatt zu lesen.

Lektion 2
Sorin Mateis' erster Arbeitstag

Betreff: Personelles

Liebe Kolleginnen und Kollegen,

als neuen Mitarbeiter begrüßen wir Herrn Sorin Mateis sehr herzlich. Er hat im Juli seine
Ausbildung zum Gebäudereiniger abgeschlossen und tritt bei uns seine erste Stelle an.
Bis auf Weiteres wird er für einen Teil des Bürogebäudes in der Bremer Straße zuständig sein.
Wir wünschen ihm einen guten Start bei uns!

Viele Grüße

Wolfgang Petersen

---

1 **Welche Wünsche hat man für den ersten Arbeitstag? Sprechen Sie.**

Man hofft, dass man ein paar
nette Kollegen kennenlernt.

einen freundlichen Chef / eine freundliche Chefin bekommen |
nette Kollegen kennenlernen | Rundgang durch den Betrieb machen |
gutes Arbeitsklima haben | klare Arbeitsabsprachen treffen können |
den Job gut machen | …

2 **Und was könnte man vor dem ersten Arbeitstag befürchten? Sprechen Sie.**

falsch gekleidet sein | morgens zu spät kommen | keinen Parkplatz finden |
sich die Namen von den Kollegen nicht merken können |
Anweisungen nicht verstehen | einen schlechten ersten Eindruck machen |
unter Zeitdruck stehen | …

Man hat vielleicht Angst,
dass man morgens zu
spät zur Arbeit kommt.

A Ratschläge verstehen und geben

A1 Lesen Sie die Überschriften und dann den Text.
Ergänzen Sie zu jedem Textabschnitt die passende Überschrift. [AB]

Lernen Sie die Hierarchien und Spielregeln kennen | Passen Sie sich dem Kommunikationsstil an |
Zeigen Sie Ihre Motivation | Gehen Sie auf Ihre Kollegen zu | Fragen Sie nach

Fünf Tipps für den ersten Arbeitstag

❶ *Zeigen Sie Ihre Motivation*

Zeigen Sie, dass Sie sich freuen, endlich mit der Arbeit beginnen zu können. Seien Sie morgens nicht der Letzte, der kommt, und abends nicht der Erste, der in den Feierabend geht. Machen Sie ruhig ein paar Überstunden, aber übertreiben Sie nicht. Sie müssen nicht Tag und Nacht arbeiten.

❷ *Lernen Sie die Hierarchien*

Versuchen Sie zu verstehen, wer mit wem zusammenarbeitet, welche Personen wichtig sind und was man am Arbeitsplatz macht oder nicht macht. Halten Sie Augen und Ohren offen, beobachten Sie viel und hören Sie gut zu.

❸ *Fragen Sie nach*

Sie sind neu und jeder beantwortet Ihnen sicher gern Ihre Fragen. Aber stellen Sie sachliche Fragen wie z. B.: Wer ist wofür verantwortlich? Wie sind die Pausen geregelt? Wie sieht es bei Gleitzeit aus, wer kommt und geht wann?

❹ *Passen Sie an die kommunikation*

Beobachten Sie, wie Ihre neuen Kollegen miteinander umgehen und sprechen. Achten Sie darauf, wie die anderen etwas formulieren und sagen. Seien Sie keinesfalls zu direkt.

❺ *Gehen*

Gute Kontakte zu den neuen Kollegen und Vorgesetzten sind äußerst wichtig. Erwarten Sie aber nicht, dass sich alle um Sie kümmern. Sie müssen auf die Kollegen zugehen, Fragen stellen, um Hilfe bitten und durch Freundlichkeit zeigen, dass Sie vertrauenswürdig sind.

A2 Welche Tipps finden Sie hilfreich? Welche nicht? Welche Erfahrungen haben Sie schon gemacht?
Sprechen Sie in der Gruppe.

A3 | a Markieren Sie alle Imperative im Text in A1. [AB]

03 ..... b Hören Sie einige Ratschläge. Wie sind sie formuliert?
Kreuzen Sie an. [AB]

☐ im Imperativ   ☐ mit Modalverben (man kann)
☐ mit würde + Infinitiv   ☐ mit Modalverben im Konjunktiv
                                 (Sie sollten / du solltest)

> **Imperativ und Ersatzformen**
> S. 23
> **Zeigen Sie** Ihre Motivation!
> **Man sollte** seine Motivation **zeigen**.
> **Sie müssen** Ihre Motivation **zeigen**.
> **Ich würde** meine Motivation **zeigen**.

..... c Notieren Sie einige typische Formulierungen, die Sie gehört haben.

An Ihrem ersten Arbeitstag sollten Sie ... Ich würde ...

A4 | a Schreiben Sie einen eigenen Tipp für den ersten Arbeitstag. Verwenden Sie Imperative.

Achten Sie auf Ihre Körpersprache!
Versuchen Sie, einen offenen und interessierten Eindruck zu machen. ...

..... b Formulieren Sie Ihren Tipp weniger direkt mit *ich würde*
und *Sie sollten/könnten* oder *du solltest/könntest*.
Tragen Sie Ihren Tipp in der Gruppe vor.

> Ich würde am Anfang auf
> meine Körpersprache achten.
> Sie sollten versuchen, ...

B Formalitäten und Regelungen verstehen

04 **B1** Was glauben Sie: Welche Unterlagen braucht Sorin Mateis an seinem ersten Arbeitstag? Kreuzen Sie an. Hören Sie dann das Gespräch zwischen ihm und seinem Chef und vergleichen Sie. AB

☐ ☐ ☐

Persönliche Identifikationsnummer:

12 345 678 910

Allgemeine Informationen:
www.identifikationsmerkmal.de

Sozialversicherungsausweis
Social Insurance Card
Carte de sécurité sociale
Tessera di previdenza sociale
Tarjeta de afiliación a la Seguridad Social
Ταυτότητα Κοινωνικής Ασφάλισης
Legitimacja o socjalnom osiguranju
Sosyal sigortalar kimliği
Legitymacja ubezpieczenia społecznego

BANK-CARD

☐ ☐

04 **B2** Sorin Mateis und sein Chef, Wolfgang Petersen, besprechen am ersten Arbeitstag Formalitäten und Aufgaben. Lesen Sie zuerst die Aussagen. Hören Sie dann das Gespräch noch einmal. Sind die Aussagen richtig oder falsch? Kreuzen Sie an. AB

	r	f
1. Sorin Mateis soll die Steueridentifikationsnummer in den nächsten Tagen mitbringen.	☐	☐
2. Wolfgang Petersen macht eine Kopie von der Krankenversicherungskarte.	☐	☐
3. In den nächsten acht Wochen arbeitet Sorin Mateis in einem Bürohaus in der Bremer Straße.	☐	☐
4. Die Arbeitskleidung bekommt Sorin Mateis von der Firma.	☐	☐
5. Sorin Mateis' Ansprechpartnerin ist Frau Meinhardt.	☐	☐
6. Wenn Sorin Mateis krank ist, muss er nur die Krankmeldung schicken.	☐	☐

B3 In Sorin Mateis' neuer Firma gibt es eine Betriebsvereinbarung. Lesen Sie die folgende Definition und entscheiden Sie: Muss er sich an die Betriebsvereinbarung halten? AB

> Eine Betriebsvereinbarung ist ein Vertrag zwischen dem Arbeitgeber und dem Betriebsrat, der Rechte und Pflichten des Arbeitgebers und der Arbeitnehmer begründet und verbindliche Normen für alle Arbeitnehmer des Betriebs formuliert. Dabei kommt es nicht darauf an, ob das persönliche Arbeitsverhältnis bereits bestanden hat, als die Betriebsvereinbarung geschlossen wurde.

B4|a Lesen Sie einen Ausschnitt aus der Betriebsvereinbarung.

§ 5 Arbeitszeit

Die wöchentliche Arbeitszeit regelt der Tarifvertrag. Sie wird für die Gebäudereiniger je nach Objekt individuell festgelegt. In der Verwaltung ist Gleitzeit vereinbart. Die Kernarbeitszeit beginnt an jedem Arbeitstag um 9.00 Uhr und endet von Montag bis Donnerstag um 15.00 Uhr, am Freitag um 13.00 Uhr.

§ 6 Pausenregelung

(1) Die tägliche Pause von 30 Minuten wird nicht auf die Arbeitszeit angerechnet.
(2) Die Arbeit ist nach einer Arbeitszeit von mehr als 6 Stunden durch eine Pause zu unterbrechen.

§ 7 Urlaub

(1) Die Anzahl der gewährten Urlaubstage regelt der Tarifvertrag.
(2) Der Urlaub muss schriftlich beantragt werden und vom Abteilungsleiter genehmigt werden.
(3) Bei der Urlaubsgewährung werden die betrieblichen Erfordernisse sowie die Wünsche der Arbeitnehmer berücksichtigt.

b In den folgenden Sätzen gibt es falsche Informationen. Korrigieren Sie sie. AB

1. Die ~~Arbeitszeit~~ ist Montag bis Donnerstag täglich 6 Stunden. _Kernarbeitszeit_

2. Die Kernarbeitszeit beginnt am Freitag um 8.00 Uhr. _9 Uhr_

3. Die Pause wird bezahlt. _nicht_

4. Nach der Hälfte der Arbeitszeit muss man unbedingt eine Pause machen. _Nein_

5. Den Urlaub muss man mit seinem Abteilungsleiter besprechen. _schriftlich beantragen_

C Anweisungen verstehen und darauf reagieren

05 C1 | a Herr Petersen zeigt Sorin Mateis seinen neuen Arbeitsplatz.
Hören Sie zuerst das Gespräch und bringen Sie dann die Bilder in die richtige Reihenfolge.

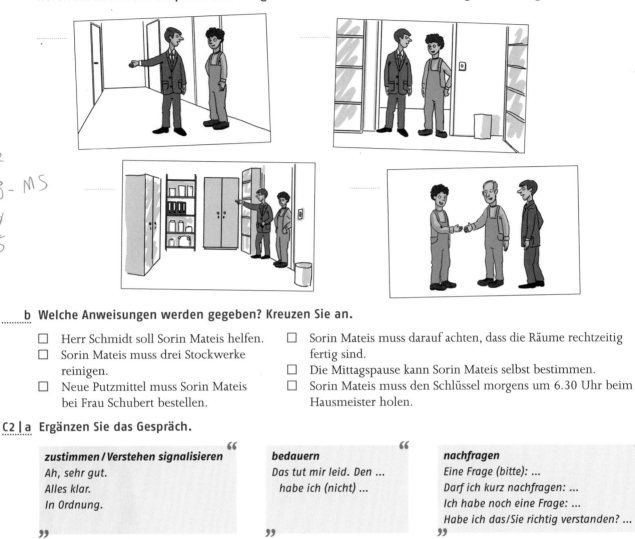

b Welche Anweisungen werden gegeben? Kreuzen Sie an.

☐ Herr Schmidt soll Sorin Mateis helfen.
☐ Sorin Mateis muss drei Stockwerke reinigen.
☐ Neue Putzmittel muss Sorin Mateis bei Frau Schubert bestellen.

☐ Sorin Mateis muss darauf achten, dass die Räume rechtzeitig fertig sind.
☐ Die Mittagspause kann Sorin Mateis selbst bestimmen.
☐ Sorin Mateis muss den Schlüssel morgens um 6.30 Uhr beim Hausmeister holen.

C2 | a Ergänzen Sie das Gespräch.

zustimmen / Verstehen signalisieren "	*bedauern* "	*nachfragen* "
Ah, sehr gut.	*Das tut mir leid. Den ...*	*Eine Frage (bitte): ...*
Alles klar.	*habe ich (nicht) ...*	*Darf ich kurz nachfragen: ...*
In Ordnung.		*Ich habe noch eine Frage: ...*
"	"	*Habe ich das / Sie richtig verstanden? ...* "

● Jetzt brauche ich noch Ihren Sozialversicherungsausweis.
◆ (bedauern: heute nicht dabei) *Das tut mir leid. Den habe ich heute nicht dabei.*
● Kein Problem, die Nummer reicht auch erst mal. Bringen Sie den Ausweis einfach in den nächsten Tagen vorbei.
◆ (zustimmen) ....
   (Frage: Arbeitskleidung) ....
● Die bekommen Sie von uns. Frau Meinhardt gibt Ihnen die Arbeitskleidung und die wichtigsten Telefonnummern.
◆ (Verstehen signalisieren) ....
   (Frage: an wen bei Fragen wenden) ....
● Ihre Ansprechpartnerin ist Frau Schubert.
◆ (Frage: Mittagspause) ....
● Die Mittagspause ist um 13 Uhr. Aber bis Viertel vor zwei sollten Sie zurück sein.
   Um 16 Uhr müssen Sie dem Hausmeister den Schlüssel zurückgeben. Der hat dann Feierabend.
◆ (Verständnisfrage: Schlüssel) ....
● Ja. Sie oder Herr Schmidt müssen den Schlüssel jeden Morgen holen und am Nachmittag wieder abgeben.

b Rollenspiel: Lesen und üben Sie das Gespräch zu zweit. Tauschen Sie die Rollen. AB

C3 Hat Sorin Mateis an seinem ersten Arbeitstag alles richtig gemacht? Was meinen Sie?
Was würden Sie anders machen? Sprechen Sie. AB

Maria Carreras bewirbt sich um eine neue Stelle

LEBENSLAUF

Maria Carreras
Bahnhofstraße 124
12545 Berlin
Tel. 030/132 45 76, Mobil 0163/42 95 83
E-Mail m.carreras@lgmx.net

Persönliche Daten

Geburtsdatum, -ort	2. März 1982, Madrid
Staatsangehörigkeit	spanisch
Familienstand, Kinder	verheiratet, ein Kind

Schulbildung/Ausbildung

06/1998	Abschluss der Educación Secundaria Obligatoria (ESO)
10/1998–09/2000	Ausbildung zur Verkäuferin

Berufserfahrung

10/2000–11/2003	Verkäuferin bei EcoMercado in Madrid
05/2004–12/2007	Verkäuferin bei Euro-Discount, Berlin-Mariendorf
seit 03/2010	Verkäuferin bei Cento, Berlin-Lichterfelde

Sprachkenntnisse

Spanisch	Muttersprache
Deutsch	mündlich sehr gut, schriftlich gut, Niveau B2

Fortbildungen

10/2006	Kasse/Verkaufsabrechnung, Bildungszentrum Steglitz e. V.
05/2009	Spezielle Warenkunde Bio-Lebensmittel, Zentrum für berufliche Qualifizierung

Berlin, den 29. 2. 20..

Maria Carreras

Maria Carreras ist Verkäuferin und arbeitet bei einem Discounter. Ihre Chefin ist sehr zufrieden mit ihr, Maria Carreras fehlt aber der direkte Kontakt mit den Kunden. Deshalb sucht sie eine neue Stelle, am liebsten würde sie in einem Lebensmittelgeschäft arbeiten. Jetzt hat sie eine passende Anzeige gefunden und bereitet ihre Bewerbung vor.

1 .... **Welches Bewerbungsfoto würden Sie wählen? Warum? Sprechen Sie.**

2 .... **Was gehört Ihrer Meinung nach zu einer Bewerbung? Sprechen Sie.**

Foto | Lebenslauf | Besuch im Personalbüro | Anschreiben
Telefonat mit der Firma | Bekannte über die Firma befragen |
Zeugnisse und Bescheinigungen | im Internet recherchieren

A eine Stellenanzeige verstehen

A1 | a Ricardo Paolini sucht eine Verkäuferin oder einen Verkäufer für sein Delikatessengeschäft. Lesen Sie in der Anzeige den Abschnitt „Aufgaben". Was muss ein Verkäufer / eine Verkäuferin bei Delicatissimo machen? Sammeln Sie in der Gruppe. AB

Wir suchen ab sofort **eine/n Verkäufer/in Einzelhandel**

Aufgaben
- fachkundige Beratung der Kunden ➝ *den Unterschied zwischen zwei Produkten erklären, ...*
- Präsentation von Waren ➝ *das Schaufenster dekorieren, ...*
- Kontrolle der Warenqualität ➝ *Mindesthaltbarkeitsdatum der Produkte prüfen, ...*
- Verkauf/Kasse ➝ *die Waren einscannen, ...*

Voraussetzungen
- erfolgreich abgeschlossene Berufsausbildung als Verkäufer/-in, idealerweise im Lebensmitteleinzelhandel, oder vergleichbare Qualifikation
- Erfahrung in der Kundenberatung
- freundliche und gepflegte Umgangsformen
- Flexibilität und Teamfähigkeit

Die Bewerbung ist mit den üblichen Unterlagen schriftlich zu richten an:
Delicatissimo, z. Hd. Ricardo Paolini, Sonnenallee 45, 13423 Berlin, Tel. 030 427458

b Lesen Sie in der Anzeige den Abschnitt „Voraussetzungen" und die Informationen über die Personen. Wer erfüllt welche Voraussetzungen? AB

 Anna Sklodowska, Einzelhandelskauffrau, bis vor drei Jahren Leiterin der Lebensmittelabteilung in einem großen Kaufhaus, Erziehungsurlaub, möchte jetzt wieder einsteigen, kann nur vormittags arbeiten

 Michael Merschke, keine abgeschlossene Ausbildung, Hilfskraft-Jobs im Groß- und Einzelhandel, zeitlich vollkommen flexibel, sucht dringend einen neuen Job

 Elena Adamopoulos, Verkäuferin Einzelhandel, arbeitet in einer Filiale einer großen Kette, mag Italien und die italienische Lebensart, möchte möglichst selbstständig arbeiten

 Maria Carreras, Verkäuferin im Lebensmitteleinzelhandel, arbeitet bei einem Discounter, hat früher in einem Bio-Supermarkt gearbeitet, sucht eine Stelle mit mehr Kundenkontakt

	Ausbildung	Berufserfahrung	Umgangsformen	Flexibilität	Teamfähigkeit
Anna S.	erfüllt	erfüllt	keine Info	nicht erfüllt	keine Info
Michael M.					

A2 Unterstreichen Sie in den Sprechblasen die Begründungen. Markieren Sie außerdem die Verbindungswörter und das Verb. AB

Kausale Satzverbindungen
S. 23
..., **weil** ... hat.
..., **denn** ... ist ... .
... **Deshalb** hat ... .
... ist **nämlich** ...

Ich glaube, Anna hätte keine Chance. Sie ist nämlich überqualifiziert.

Maria kann sich bewerben, weil sie die richtige Ausbildung hat.

Die Stelle ist für Elena vielleicht nicht geeignet, denn sie will selbstständig arbeiten.

Ricardo Paolini sucht keine Hilfskraft. Deshalb hat Michael wahrscheinlich keine Chance.

A3 Was meinen Sie: Wer hat eine Chance, die Stelle zu bekommen? Warum (nicht)? Sprechen Sie wie in den Beispielen in A2.

B ein Anschreiben und ein Vorstellungsgespräch verstehen

B1 | a Auf die Anzeige hat Ricardo Paolini Bewerbungen erhalten.
Lesen Sie das Bewerbungsanschreiben. Ergänzen Sie die Wörter. AB

> Unterschrift | Anlagen | ~~Absender~~ | Betreff | Grußformel | ~~Adresse/Anschrift~~ |
> Einleitung: Anlass des Schreibens | Schluss mit der Hoffnung auf ein positives Ergebnis |
> Hauptteil: Informationen, die die Bewerbung unterstützen | Anrede

Absender

Maria Carreras • Bahnhofstraße 124 • 12545 Berlin
Tel. 030/132 45 76 • Mobil 0163/42 95 83 • m.carreras@lgmx.net

Adresse/Anschrift

Delicatissimo
z. Hd. Herrn Ricardo Paolini
Sonnenallee 45
13423 Berlin   Berlin, den 29. 02. 20..

Betreff

Anrede

Bewerbung als Verkäuferin

Sehr geehrter Herr Paolini,

Einleitung

mit großem Interesse habe ich Ihre Anzeige in der BZ vom 23. Februar gelesen
und möchte mich bei Ihnen um die Stelle als Verkäuferin bewerben.
Ich bin sicher, dass ich alle erforderlichen Voraussetzungen mitbringe.

Hauptteil

Ich habe in Spanien eine Ausbildung als Verkäuferin gemacht und anschließend drei
Jahre in einem Bio-Supermarkt gearbeitet. Als ich nach Deutschland gekommen bin,
habe ich zwei Jahre lang einen Deutschkurs besucht und die B2-Prüfung bestanden.
Seit zwei Jahren arbeite ich in Berlin bei einem Discounter. Meine Aufgaben sind die
Bestellung von Waren, die Warenannahme und die Qualitätskontrolle. Außerdem bin
ich für das Auffüllen der Regale sowie für die Präsentation der Waren zuständig.
Ich bin zeitlich flexibel und arbeite gern mit Kollegen zusammen.

Grußformel

Über eine Einladung zu einem Vorstellungsgespräch würde ich mich sehr freuen.

Schluss mit Hoffnung

Unterschrift

Mit freundlichen Grüßen

Maria Carreras

Anlagen

Anlagen: Lebenslauf, Zeugnisse

b Welche Aufgaben und Voraussetzungen aus der Anzeige in A1 nennt Maria Carreras in ihrem Brief?
Unterstreichen Sie in der Anzeige. AB

06 **B2 | a** Hören Sie das Vorstellungsgespräch. Markieren Sie im Anschreiben, welche Punkte besprochen werden. AB

b Worüber sprechen Maria Carreras und Ricardo Paolini außerdem? Kreuzen Sie an. AB

- ☒ über Details der Ausbildung in Spanien
- ☒ über die Arbeitszeiten
- ☒ über ihre Stärken (was sie besonders gut kann)
- ☒ warum sie eine neue Stelle sucht
- ☒ warum sie bei Delicatissimo arbeiten will
- ☐ über die Bezahlung
- ☒ über die Probezeit *ein bischen*
- ☒ warum sie von 2008 bis 2010 nicht gearbeitet hat

06 **c** Hören Sie noch einmal und notieren Sie zu den Punkten, die Sie in b angekreuzt haben, einige Stichwörter.
Vergleichen Sie Ihre Ergebnisse im Kurs. AB

C Anschreiben verfassen, Vorstellungsgespräch führen

C1 **Ergänzen Sie das Anschreiben mit Ihren persönlichen Daten.** AB

mit großem Interesse habe ich Ihre Anzeige .... gelesen und möchte mich bei Ihnen um die Stelle als
.... bewerben. Ich bin sicher, dass ich alle erforderlichen Voraussetzungen mitbringe.

Ich habe in .... eine Ausbildung als .... gemacht und anschließend .... gearbeitet.
habe ich .... einen Deutschkurs besucht und die .... -Prüfung bestanden. Seit .... arbeite ich
[Von .... bis .... habe ich] in .... bei .... [gearbeitet]. Meine Aufgaben sind [waren] ....
Außerdem bin [war] ich für .... zuständig.

C2 | a **Notieren Sie zu den Fragen eines Vorstellungsgesprächs Stichwörter, die zu Ihrer persönlichen Situation passen.** AB

Was haben Sie bisher beruflich gemacht?
2000–2003 Bio-Supermarkt Madrid, 2004–2007 Euro-Discount, seit 2010 Cento
Haben Sie noch andere Qualifikationen?
Bitte erzählen Sie etwas genauer über Ihre Berufsausbildung in Ihrem Heimatland.
Wann und wo haben Sie Deutsch gelernt? Sprechen Sie noch andere Sprachen?
Was können Sie besonders gut? Was würden Sie am liebsten machen?

b **Welche Überschrift passt zu welchen Redemitteln? Ordnen Sie zu.** AB

nachfragen   **über Berufserfahrung sprechen**   **über Vorlieben und Fähigkeiten sprechen**

> "
> Ich habe ... Jahre in ... /
>   als ... gearbeitet
> Ich habe/musste ...
> Ich habe ... gelernt
> Ich habe Erfahrungen in ...
> „

> "
> Besonders gut kann ich ...
> Ich würde gern / am liebsten ...
> Mir würde es Spaß machen, ... zu ...
> Ich mache/arbeite gern ...
> Ich gehe gern mit ... um
> „

> "
> Das verstehe ich nicht.
> Wie meinen Sie das?
> Was meinen Sie mit ...?
> „

c **Formulieren Sie Ihre Antworten auf die Fragen in a mithilfe Ihrer Stichwörter und der Redemittel.**

Von 2000 bis 2003 habe ich in einem Bio-Supermarkt in Madrid gearbeitet.

d **Arbeiten Sie zu zweit: Partner A fragt (wie in a), Partner B antwortet (wie in c). Anschließend tauschen Sie die Rollen.**

C3 **Was möchten Sie über eine Stelle noch wissen? Sammeln Sie Fragen im Kurs.** AB

Überstunden | Kindergarten | Arbeitszeit | Urlaub | Probezeit | Teilzeitarbeit | ...

C4 **Wie würden Sie sich außerdem auf ein Bewerbungsgespräch vorbereiten? Machen Sie eine Liste.**

– *früh ins Bett gehen, damit ich ausgeschlafen bin.*

C5 **Rollenspiel: Spielen Sie zu zweit ein Bewerbungsgespräch.**

Beginnen Sie das Gespräch mit einer ganz allgemeinen Frage,
z. B. „Haben Sie gut zu uns gefunden?". Stellen Sie auch die Fragen
aus C2a. Schließen Sie das Gespräch mit einer Frage des Bewerbers
an den Chef, z. B. ob es möglich ist, den Arbeitsplatz zu besichtigen.

C6 **Wie würden Sie sich für ein Bewerbungsgespräch kleiden?**

☐ du   ☐ Sie

☐ du   ☐ Sie

Du oder Sie?

Die Anrede hat im Deutschen verschiedene Formen: du und Sie.
Oft stellt man sich die Frage: Welche soll man verwenden?
Wie verhält man sich richtig?

☐ du   ☐ Sie

1 .... **Sehen Sie die Fotos an.**
Wen würden Sie spontan duzen, wen würden Sie siezen?
Kreuzen Sie an und begründen Sie Ihre Entscheidung.

☐ du   ☐ Sie

☐ du   ☐ Sie

☐ du   ☐ Sie

☐ du   ☐ Sie

☐ du   ☐ Sie

☐ du   ☐ Sie

☐ du   ☐ Sie

> Den jungen Mann in der
> Werkstatt würde ich duzen,
> wenn ich sein Kollege wäre.
> Wenn ich ein Kunde der
> Werkstatt wäre, würde ich
> ihn siezen.

2 |a **Wie ist es in Ihrer Muttersprache? Gibt es unterschiedliche Anredeformen?**
Und wenn ja, nach welchen Regeln verwendet man sie?

> In Spanien gibt es eine Sie-Form und eine Du-Form. Der Alters-
> unterschied spielt eine wichtige Rolle. Zu einem älteren Menschen
> muss man „Sie" sagen und dieser Mensch sagt „du" zu einem.
> Am Arbeitsplatz ist es in der Regel auch so. Wenn der Chef aber viel
> jünger als sein Mitarbeiter ist, dann sagen beide „Sie" zueinander.

> Also, bei uns im Schwedischen ist es inzwischen
> viel einfacher geworden: Normalerweise duzen
> wir alle, bis auf den König.

...... b **Im Deutschen nennt man die akademischen Titel mit. Man sagt Herr Doktor Schmidt, Frau Professor Rieder.**
Wie ist es in Ihrer Muttersprache?

3 Lesen Sie den Text und ergänzen Sie die Tabelle:
Welche Vor- und Nachteile beim Siezen und Duzen nennt der Text?

Du und Sie

Diese Frage stellt sich jeder immer wieder: Soll ich mein Gegenüber duzen oder doch besser siezen?
Das ist heutzutage im Alltag und besonders im Beruf nicht so einfach zu entscheiden. Es gibt einige Regeln.
Und es ist auch gut zu wissen, welche Vor- und Nachteile mit dem Duzen und Siezen verbunden sind.

5 Normalerweise gilt für die Erwachsenen erst einmal das „Sie". Unbekannte Menschen und auch Personen,
die man nicht näher kennt, werden gesiezt. Das gilt für den Alltag und die Berufswelt. Berufseinsteiger oder
neue Mitarbeiter sollten sich erkundigen, welche Anredeformen in ihrem Unternehmen üblich sind. In einigen
Berufsbranchen hat sich das „Du" fest etabliert. Bei Ikea beispielsweise duzen sich alle Mitarbeiter bis in die
Chefetage.

10 Im privaten Bereich gilt meistens das „Du". Paare, Familienangehörige und Freunde duzen sich. Auch jüngere
Menschen im ähnlichen Alter sagen eher „du". Bei Freizeitaktivitäten wie z. B. in Vereinen, Fitnesscentern wird
ebenfalls oft geduzt.

Welche Vor- und Nachteile hat das Siezen?

Das Siezen drückt Distanz und Respekt aus und fördert einen höflichen Umgang miteinander. Der Vorteil beim
„Sie" ist, dass man die Menschen in Ruhe kennenlernen kann und dann entscheidet, ob man das „Du" anbietet.
15 Eine Rückkehr zum „Sie" ist fast unmöglich. Die Sie-Form kann aber auch negativ wirken. Wenn jemand die
meisten seiner Kollegen duzt und nur einige siezt, bedeutet das vielleicht, dass er mit Letzteren nicht sehr gut
klarkommt. Und wer beim „Sie" bleibt, obwohl man ihm das „Du" angeboten hat, wirkt steif und altmodisch.

Welche Vor- und Nachteile hat das Duzen?

Unter Menschen, die man duzt, fühlt man sich wohler und entspannter. So können Beziehungen schneller
20 aufgebaut werden. Ein „Du" kann aber auch respektlos gemeint sein, wenn z. B. ein fremder Mensch anderer
Nationalität geduzt wird, ohne dass ihm das „Du" angeboten wurde. Unternehmen, in denen man sich duzt,
glauben, dass Mitarbeiter schneller integriert werden und Probleme schneller angesprochen werden.
Es gibt aber auch Kritik an dieser Einstellung. Das Verhältnis zum Chef wird mit einem „Du" nicht automatisch
einfacher und es kann schwerer sein, über Themen wie Einkommen und Kündigung zu sprechen.

25 In einigen Firmen gibt es eine Mischform. Man spricht sich mit dem Vornamen an und bleibt beim „Sie".
In anderen Unternehmen wird „ihr" als vertrauliche Höflichkeitsform benutzt, wenn man mehrere Personen
anspricht. Insgesamt kann man sagen, dass ein Duzen und Siezen oft in der Firma selbst geregelt wird.
Es gehört quasi zur Firmenkultur und hat nicht sehr viel mit Sympathie oder Antipathie zu tun. Da passt man
sich dann am besten an.

	Vorteile	**Nachteile**
Sie	Das Siezen fördert einen höflichen Umgang miteinander.	
du		

4 Sehen Sie sich noch einmal Ihre Lösungen in Aufgabe 1 an. Würden Sie jetzt anders entscheiden?

5 Stimmt es, dass das Siezen höflicher ist? Welche Erfahrungen haben Sie privat und beruflich gemacht?
Sprechen Sie im Kurs.

jemanden begrüßen und sich vorstellen
Guten Tag, herzlich willkommen.
Schön, Sie bei uns begrüßen zu dürfen.
Guten Tag, mein Name ist ...
Wie geht es Ihnen?

Gesprächspartner informieren
Ich sage eben Herrn Meier Bescheid, dass Sie da sind.
Ich informiere Herrn Meier, dass Sie eingetroffen sind.
Herr Meier ist noch in einer Besprechung. Er wird
  in 15 Minuten bei Ihnen sein.

über die Anreise sprechen
Wie war die Reise, Frau Kramer?
Hatten Sie einen guten Flug / eine gute Fahrt?
Sind Sie mit der Bahn gekommen?

etwas zu trinken anbieten
Was darf ich Ihnen anbieten?
Darf ich Ihnen einen Kaffee anbieten?
Möchten Sie Kaffee oder Tee?
Kann ich Ihnen Wasser oder Saft anbieten?
Darf ich Ihnen schon einmal etwas zu trinken anbieten?

sich verabschieden
Auf Wiedersehen und einen schönen Tag noch.
Ich wünsche Ihnen eine gute Heimreise.
Vielen Dank für Ihren Besuch.

seinen Beruf vorstellen
Ich bin ... von Beruf. / Ich möchte ... werden.
In diesem Beruf braucht man vor allem ...
Man muss besonders gut ... können.
Die Ausbildung habe ich in einem Betrieb und an der
  Berufsschule gemacht.
Das Studium hat ... gedauert.
Heute arbeite ich als ... / bei ...
Mein Unternehmen ist ... / produziert ...
Ich bin zuständig für ... / Ich bin verantwortlich für ...
An meinem Beruf gefällt mir, dass man ..., auch wenn ...
In ein paar Jahren kann ich vielleicht ...

seinen Berufswunsch beschreiben
Die Ausbildung zum/zur ... absolviert man an ...
Das Studium dauert ... Jahre.
Ich würde gern bei / in einem ... arbeiten.
... arbeiten oft als ... und sind für ... zuständig/
  verantwortlich.
Der Beruf würde mir bestimmt Spaß machen,
  weil ..., auch wenn ...

zustimmen / Verstehen signalisieren
Alles klar.
Ah, sehr gut.
In Ordnung.

bedauern
Das tut mir leid. Den ... habe ich nicht ...

nachfragen
Eine Frage (bitte): ...
Darf ich kurz nachfragen: ...
Ich habe noch eine Frage: ...
Habe ich das/Sie richtig verstanden?
Das verstehe ich nicht.
Wie meinen Sie das?
Was meinen Sie mit ...?

über Berufserfahrung sprechen
Ich habe ... Jahre in ... / als ... gearbeitet
Ich habe/musste ...
Ich habe ... gelernt.
Ich habe Erfahrungen im ...

über Vorlieben und Fähigkeiten sprechen
Besonders gut kann ich ...
Ich würde gern / am liebsten ...
Mir würde es Spaß machen, ... zu ...
Ich mache/arbeite gern ...
Ich gehe gern mit ... um.

Audio-Training: www.hueber.de/im-beruf/lernen

S. 10 | Verben/Adjektive mit Präpositionen

+ Akkusativ	verantwortlich für	wofür?	Er ist für **den Einkauf** verantwortlich.
		für wen?	Er ist für **alle Mitarbeiter** verantwortlich.
+ Dativ	zusammenarbeiten mit	mit wem?	Er arbeitet mit **vielen Kollegen** zusammen.

Bei Personen steht die Präposition mit dem Fragepronomen (*für wen*), ansonsten *wo-* + Präposition (*wofür*).

S. 13 | Imperativ und Ersatzformen

Mit dem Imperativ formuliert man Bitten, Vorschläge, Empfehlungen, Ratschläge, Anordnungen und Anleitungen.

Zeigen Sie Ihre Motivation!	Sie zeigen	In der Sie-Form steht zuerst das Verb, dann das Pronomen.
Zeig deine Motivation!	~~du~~ zeigst	In der Du-Form steht nur das Verb ohne Endung und ohne Pronomen.
Zeigt eure Motivation!	~~ihr~~ zeigt	In der Ihr-Form steht das Verb ohne Pronomen.

Wenn einem der Imperativ zu direkt erscheint, ersetzt man ihn durch eine Konstruktion mit *sollen* im Konjunktiv:
Man **sollte** seine Motivation **zeigen**.
Du **solltest** deine Motivation **zeigen**.

Oder man formuliert einen Ratschlag im Konjunktiv:
Ich **würde** meine Motivation **zeigen**.

S. 17 | Kausale Satzverbindungen

Hauptsatz	Nebensatz
Maria Carreras bewirbt sich,	weil sie eine Stelle mit mehr Kundenkontakt sucht.

Hauptsatz	Hauptsatz		
	0	1	2
Maria Carreras bewirbt sich,	denn	sie	sucht eine Stelle mit mehr Kundenkontakt.

Hauptsatz	Hauptsatz	
	1	2
Maria Carreras sucht eine Stelle mit mehr Kundenkontakt.	Deshalb	bewirbt sie sich.

Hauptsatz	Hauptsatz	
	1	2
Maria Carreras bewirbt sich,	sie	sucht nämlich eine Stelle mit mehr Kundenkontakt.

Ein Grund kann auch in zwei Sätzen ohne Verbindungswort ausgedrückt werden:

Maria Carreras bewirbt sich bei Delicatissimo. Sie sucht eine Stelle mit mehr Kundenkontakt.
Maria Carreras sucht eine Stelle mit mehr Kundenkontakt. Sie bewirbt sich bei Delicatissimo.

Lektion 4
Galina Schewchenko ist in einer Besprechung

Galina Schewchenko arbeitet im Altenheim St. Elisabeth in Köln als Pflegerin. Einmal pro Woche trifft sie sich mit ihrer Chefin, der Stationsleiterin Regina Niehoff, und ihren Kollegen Jens Großer und Lucia Bandera zu einer Teamsitzung. Dort werden aktuelle Projekte und der Gesundheitszustand einzelner Bewohner besprochen.

1 **Welche dieser verschiedenen Besprechungen kennen Sie? Kennen Sie noch andere? Sprechen Sie.**

Abteilungsbesprechung mit Abteilungsleiter und Kollegen | Arbeitsbesprechung unter Kollegen | Planungssitzung | Krisensitzung | Jour fixe | …

2 **Was können die Themen solcher Besprechungen sein? Sammeln Sie.**

neue Projekte | Informationsaustausch über aktuelle Projekte | Probleme mit einzelnen Kunden / Patienten | Arbeitspläne | Probleme von Mitarbeitern | Qualitätsprobleme | Fortbildungsbedarf | …

A eine Besprechung verstehen

A1 **Lesen Sie die Tagesordnung. Lesen Sie dann die Aussagen 1–6. Welche Aussagen sind richtig? Kreuzen Sie an.** AB

Teambesprechung Wohngruppe 1

Datum: 23. 11. 20..
Uhrzeit / Ort: 13.00–14.00 Uhr; Stationszimmer 101
Teilnehmer: R. Niehoff, L. Bandera, J. Großer, G. Schewchenko

TAGESORDNUNG

TOP 1 Gemeinsamer Nachmittagskaffee in der Cafeteria
TOP 2 Gesundheitszustand von Herrn Lipsky
TOP 3 Kurs „Gedächtnistraining"
TOP 4 Neue Praktikantin ab 1. 12.

1. Die Besprechung ist am späten Vormittag im Stationszimmer 101. ☐
2. An der Besprechung nehmen vier Personen teil. ☐
3. Bei TOP 1 geht es um eine Veranstaltung in der Cafeteria. ☐
4. Beim zweiten Punkt geht es um das Befinden eines Bewohners. ☐
5. Bei Punkt 3 geht es um ein Sport-Angebot. ☐
6. Am 1. 12. beginnt eine neue Pflegerin ihre Arbeit. ☐

07 A2 **Hören Sie die Besprechung. Bei welchen TOP gibt es verschiedene Meinungen, bei welchen sind sich alle einig? Kreuzen Sie an.** AB

	TOP 1	TOP 2	TOP 3	TOP 4
Meinungsverschiedenheiten	☐	☐	☐	☐
Alle einig	☐	☐	☐	☐

07 A3 **Hören Sie die Besprechung noch einmal. Was hat das Team beschlossen? Kreuzen Sie an.** AB

TOP 1 ☐ Eine Woche lang werden probeweise alle Bewohner zum Kaffeetrinken in die Cafeteria eingeladen.
☐ Die Bewohner werden zum Kaffeetrinken in die Cafeteria gebracht, sobald die Renovierung abgeschlossen ist.
☐ Weil die meisten Bewohner alleine ihren Kaffee trinken wollen, wird über die Kaffeetafel erst nächste Woche entschieden.

TOP 2 ☐ Weil Herr Lipsky sehr verwirrt ist, soll Jens Großer mit Herrn Lipskys Tochter sprechen.
☐ Herr Lipsky soll in ein anderes Zimmer ziehen, weil er sich mit seinem Mitbewohner nicht versteht.
☐ Jens soll mit Herrn Lipskys Tochter sprechen, weil er so tut, als ob er verwirrt wäre.

TOP 3 ☐ Für das Gedächtnistraining soll die Kursleiterin Werbung machen, indem sie mit den Bewohnern persönlich spricht.
☐ Der Kurs wird eingestellt, weil es zu wenig Teilnehmer gibt.
☐ Der Kurs ist schon dreimal ausgefallen, weil er nicht bekannt genug ist.

TOP 4 ☐ Galina Schewchenko soll zusammen mit der neuen Praktikantin die Weihnachtsaktivitäten organisieren.
☐ Die Praktikantin wird im Büro arbeiten und die Freizeitangebote organisieren.
☐ Lucia Bandera wird sich in der ersten Woche um die neue Praktikantin kümmern.

B ein Protokoll verstehen

B1 | a In der Abteilungsbesprechung wird über die Beschlüsse der Geschäftsführung berichtet. Lesen Sie die Punkte 1–4 des Protokolls und die Texte A–E. Welcher Punkt passt zu welchem Text? Ordnen Sie zu.

1 Zwischen den Jahren

Dieses Jahr wird die Firma während der Weihnachtsferien nicht geschlossen. Urlaub und Abbau von Überstunden müssen unter den Mitarbeitern so abgestimmt werden, dass vom 23. 12. bis zum 6. 1. in den Sekretariaten und im Kundenservice jeweils mindestens eine Person anwesend ist.

2 Arbeiten am Netzwerk

Im zweiten Stock werden in der Woche vom 4. bis zum 8. Juli Netzwerkkabel ausgetauscht. In dieser Zeit kann man nicht oder nur eingeschränkt auf die Server zugreifen. Dringend benötigte Dokumente müssen vorher auf die lokale Festplatte gespeichert werden.

3 Neue Computer

In den nächsten Wochen werden einige Computer durch neuere Modelle ersetzt. Der Bedarf soll bei der IT-Abteilung gemeldet werden.

4 Straßensperrung

In der Zeit vom 7. bis zum 13. Juli ist die Turmstraße gesperrt. Das Firmengelände kann man in dieser Zeit nicht mit dem Pkw erreichen. Die Mitarbeiter sollen in den anliegenden Straßen parken und müssen dadurch mit Verzögerungen rechnen.

A Frau Ahlers arbeitet mit drei Kolleginnen im Kundenservice. Ihr Computer stürzt in letzter Zeit immer wieder ab oder arbeitet nur sehr langsam. Punkt 3

B Frau Durm muss bis zum 7. Juli unbedingt eine Übersicht fertigstellen und sie anschließend an ihren Chef weitergeben. Dazu braucht sie mehrere E-Mails und Dateien vom Server. Punkt

C Frau Herder arbeitet im Kundenservice. Die Tage zwischen Weihnachten und Neujahr möchte sie mit ihrem Mann bei ihren Schwiegereltern verbringen. Punkt

D Herr Gabler kommt mit dem Pkw zur Arbeit. Morgens bringt er immer seine Kinder zur Schule. Er ist selten vor 8.45 Uhr am Arbeitsplatz, muss aber spätestens um 9.00 Uhr da sein. Punkt

E Frau Pergner arbeitet zusammen mit einer Kollegin im Sekretariat der Abteilung 3. Sie hat schulpflichtige Kinder, die sie allein erzieht. Diese haben vom 24. 12. bis zum 6. 1. Ferien und können erst ab 2. Januar zur Oma. Punkt

b Wer muss was tun? AB

Frau Ahlers muss eine E-Mail an die IT-Abteilung schreiben, dass sie einen neuen PC braucht.

B2 Lesen Sie noch einmal das Protokoll. Wie sind die Punkte aufgebaut?
Markieren Sie die Informationen oder Beschlüsse blau, die Aufforderungen / Aufgaben rot.

B3 Was steht normalerweise nicht in einem Protokoll? Was vermuten Sie? AB

Beschlüsse | einzelne Meinungen | für alle Mitarbeiter wichtige Informationen |
welche Teilnehmer gegen einen Beschluss waren | Aufgaben |
wie energisch jemand seine Meinung vertreten hat | wie viele Teilnehmer für einen Beschluss waren

C an einer Besprechung teilnehmen

C1 **Ordnen Sie die Redemittel.** AB

" zustimmen "	" widersprechen " Da bin ich mir nicht so sicher. "	" die eigene Position darstellen "	" nach der Meinung fragen "

Ich finde, dass … recht hat. | Ich bin der Ansicht, dass … | Das habe ich genauso empfunden. | Was meinen Sie? | Sind alle damit einverstanden (, dass …)? | ~~Da bin ich mir nicht so sicher.~~ | Ich glaube, das stimmt so nicht ganz! | Ja, das hört sich gut an. | Manchmal denke ich, … | Das sehe ich genauso. | Woran liegt das? | Wie wäre es, wenn … | Ja, aber …

C2 **Rollenspiel: Spielen Sie zu viert. Sie sind das Team im Altenheim und besprechen die folgenden Punkte. Verwenden Sie die Redemittel aus C1 und die Argumente unten. Beschließen Sie, wer was wann machen soll.** AB

– Halbstündiger Spaziergang mit jedem Heimbewohner bei schönem Wetter
– Regelmäßig Lieblingsessen für Heimbewohner
– Monatliche Thementage mit passendem Essen, Basteln, Ausflug, Konzert oder …

tut den Bewohnern gut | fördert die Erinnerung | zu wenig Personal | zu teuer | motiviert Heimbewohner | Bewohner krank | Bewohner interessieren sich für nichts | Aufgabe der Verwandten | mit Verwandten zusammenarbeiten | zu viel Arbeit | …

● Kommen wir zum ersten Punkt. Es wurde der Vorschlag gemacht, dass wir bei schönem Wetter mit jedem Heimbewohner eine halbe Stunde lang spazieren gehen.
◆ Ja, das ist eine gute Idee und tut den Bewohnern gut.
▲ Das sehe ich genauso.
■ Ja, aber das ist doch …

C3 | a **Wer hat was gesagt? Lesen Sie die Zusammenfassung der Argumente. Markieren Sie die *dass*-Sätze und die Infinitive mit *zu*.** AB

Das Thema unserer Diskussion war der Vorschlag, bei schönem Wetter Spaziergänge zu machen. Fast alle waren der Meinung, dass das den Patienten guttut. Dagegen meinte Bernd, dass die meisten Bewohner dafür zu krank sind. Andrea war der Ansicht, dass das nicht unsere Aufgabe ist. Es war eigentlich klar, dass alle meinten, wir hätten dafür zu wenig Personal. Carola schlug vor, mit den Verwandten zusammenzuarbeiten. Wir haben beschlossen, die Verwandten zu solchen Spaziergängen zu motivieren.

> *dass*-Sätze / Infinitive mit *zu*
> S. 39
> …, **dass** … guttut.
> …, … **zu** motivieren.

b **Notieren Sie die Einleitungssätze zu den *dass*-Sätzen und den Infinitivsätzen aus der Zusammenfassung.** AB

Das Thema unserer Diskussion war der Vorschlag, … zu

c **Fassen Sie die Argumente aus Ihrer Besprechung (C2) wie in a zusammen. Verwenden Sie die Einleitungssätze aus b. Berichten Sie dann einer anderen Gruppe.**

C4 **Schreiben Sie das Ergebnis Ihrer Besprechung auf. Schreiben Sie, *was* man tun muss, *wer* es tun muss und *wann* er es tun muss.** AB

TOP1: Bernd spricht in den nächsten zwei Wochen alle Verwandten auf regelmäßige Spaziergänge mit den Bewohnern an.

Lektion 5
Sophie Martin sucht eine Vertretung

Sophie Martin hat ihre Ausbildung zur Hotelmanagerin abgeschlossen und ist nun seit einiger Zeit Empfangschefin im Hotel Krone, einem großen Hotel in Stuttgart. Hier hat sie auch ihre Ausbildung zur Hotelfachfrau gemacht. Sophie Martins Aufgaben sind vielfältig: Sie ist für die Mitarbeiterinnen und Mitarbeiter, die an der Rezeption arbeiten, und für die Veranstaltungen im Haus verantwortlich. Außerdem kümmert sie sich um die Stammkunden und um andere besondere Gäste: Deren Wünsche zu erfüllen ist ein Markenzeichen des Hauses.

1 **Als Hotelmanagerin oder -manager muss man vielseitig und flexibel sein und auch einmal improvisieren können. Helfen Sie Sophie Martin. Was könnte sie in diesen „Notsituationen" tun? Sprechen Sie.**

1. Ein Gast ruft an und teilt mit, dass er krank im Bett liegt.

2. Ein Gast ruft an und möchte ein kaltes Buffet auf sein Zimmer serviert bekommen, weil er Geschäftsfreunde empfängt. Es ist aber schon 22.00 Uhr, die Küche schließt gerade.

3. Einem Gast ist im Konferenzraum die Aktentasche mit wichtigen Unterlagen abhandengekommen, vielleicht wurde sie gestohlen.

4. Ein Stammgast kann nicht schlafen, weil ein Gast in seinem Nachbarzimmer die ganze Zeit laut schnarcht. Dieser Gast will aber zwei Wochen im Hotel bleiben, man darf ihn deshalb auf keinen Fall verärgern.

> Ich würde den Gast fragen, ob er einen Arzt braucht, und dann einen anrufen, der ins Hotel kommt.

> Wenn der Gast nur ein Medikament braucht, muss man einen Angestellten in eine Apotheke schicken.

A Anweisungen geben und darauf reagieren

08 **A1 | a** **Hören Sie den Anfang des Telefongesprächs zwischen Sophie Martin und ihrem Mitarbeiter Alexander Sober und beantworten Sie die Fragen.** AB

1. Welches Problem hat Sophie Martin? *Sie hat 2 Mitarbeiter krank*
2. Was soll Alexander Sober tun?
3. Welche Argumente nennt Alexander Sober, um nicht arbeiten zu müssen?
4. Mit welchen Argumenten versucht Sophie Martin, Alexander Sober zu einer positiven Antwort zu bewegen?
5. Wird Alexander Sober heute arbeiten? Was meinen Sie?

09 **b** **Hören Sie weiter. Was soll Alexander Sober machen? Ergänzen Sie die Notizen.** AB

> 1 *7* Uhr: E-Mails lesen, Zimmeranfragen *beantworten*
> 2 spätestens _____ Uhr: Hausdame fragen, ob _____ , Durchwahl: _____
> 3 Telefondienst, bei Unklarheiten _____
> 4 keine Parkmöglichkeiten in der Birnauer Str., Benutzung _____

c **Kennen Sie solche Situationen? Müssen Sie manchmal für eine Kollegin / einen Kollegen einspringen? Erzählen Sie.**

10 **A2** **Ergänzen Sie die Negationen und hören Sie anschließend zur Kontrolle noch einmal Ausschnitte aus dem Gespräch.** AB

> **Negation**
> S. 39
> nicht – kein – nirgendwo – weder …
> noch – nie – niemanden – nichts

1. *Weder* Frau Gruber *noch* Herr Daimler können heute kommen. Ich habe also _____ für den Empfang!
2. Aber ich kenne mich _____ so gut aus am Empfang. Ich habe da _____ alleine gearbeitet!
3. Das macht _____ .
4. Wenn die S-Bahn _____ Verspätung hat, müsste ich es bis sieben Uhr schaffen.
5. Ich bin heute nämlich selber _____ im Haus.
6. Man kann also die nächsten Tage leider _____ in der Birnauer Straße parken.

A3 **Ihr Chef bittet Sie, für einen Kollegen einzuspringen. Was sind gute Gründe dafür, dies abzulehnen? Diskutieren Sie.** AB

> … ist ein guter Grund, finde ich.

> … halte ich für keinen guten Grund.

A4 **Rollenspiel: Spielen Sie ein Telefongespräch zwischen Chef/in und Mitarbeiter/in. Verwenden Sie jeweils mindestens ein Redemittel in Ihrem Gespräch. Machen Sie zunächst Notizen und spielen Sie dann die Gespräche. Tauschen Sie die Rollen.** AB

> **absagen / einwenden**
> *Das geht leider nicht. Ich …*
> *Das würde ich ein andermal gern tun, aber heute …*
> *Das tut mir leid. Ausgerechnet heute …*

> **nachhaken**
> *Könnten Sie nicht …?*
> *Vielleicht wäre es möglich …*
> *Das macht nichts. Sie können …*

> **einlenken**
> *Vielleicht gibt es doch eine Möglichkeit. Ich …*
> *Na gut, dann …*
> *O. k., ich versuche es.*

Situation 1 *Partner A:* Ihr Chef ruft an und bittet Sie, morgen für einen Kollegen einzuspringen. Sie haben sich aber für morgen freigenommen, weil Sie einen schon lange geplanten Arzttermin haben, den Sie nicht verschieben können. Auf einen neuen Termin müssten Sie wieder lange warten.

Partner B: Sie sind die / der Chef/in und rufen einen Mitarbeiter an. Bitten Sie ihn, morgen für einen Kollegen einzuspringen. Geben Sie nicht sofort auf, haken Sie nach, ob es für ihn nicht doch eine Möglichkeit gibt.

Situation 2 *Partner A:* Ihr Chef bittet Sie, heute Nachmittag zu arbeiten. Ihr Kind kommt aber um 14 Uhr von der Schule nach Hause und Sie wissen nicht, ob Sie eine Betreuung organisieren können. Sie versuchen zunächst, nicht arbeiten zu müssen, sind dann aber kompromissbereit. Vielleicht kann Ihr Kind zu einem Freund gehen, bis Ihre Frau / Ihr Mann nach Hause kommt. Sagen Sie, dass Sie zurückrufen, wenn Sie das organisiert haben.

Partner B: Siehe Situation 1.

B sich erkundigen, weiterverbinden

B1 | a **Lesen Sie den Text und markieren Sie die Kernaussage.** AB

> ## Ein ehrliches Nein
>
> Etwas nicht zu wissen wird oft bestraft – das ist schon in der Schule so. Also gibt es niemand gern zu, wenn er etwas nicht weiß. Aus Angst, inkompetent zu wirken, gibt man Halbwissen oder Vermutungen als Wissen aus – und macht einen großen Fehler.
> Dabei ist es eher ein Zeichen von Stärke und Kompetenz, wenn man offen zugibt, dass man im Moment keine Antwort geben kann und sich selbst erst schlau machen muss. Schließlich ist jedem klar, dass niemand alles wissen kann. Und natürlich ist es wichtiger, die richtige Information zu bekommen, als irgendeine Information sofort.

b **Was meinen Sie? Soll man es wirklich immer zugeben, wenn man keine Antwort weiß? Diskutieren Sie.** AB

Ich würde das nicht immer zugeben.
Manchmal ist es wirklich zu peinlich, wenn ...

Aber es ist doch noch viel peinlicher, wenn ...

B2 **Haben Sie schon einmal eine falsche Antwort bekommen? Wie haben Sie reagiert? Wie hat die/der andere reagiert? Erzählen Sie.**

Ich habe einmal einen Kollegen gebeten, mir zu sagen, wo ich neues Kopierpapier bekomme. Er hat mich in den Keller geschickt. Dort gab es aber keins, es war im Postraum im Erdgeschoss. Der Kollege sagte dann, dass das Papier früher immer im Keller war. Er wusste nicht, dass das geändert wurde.

11
14 B3 | a **Hören Sie Ausschnitte aus Telefongesprächen. Notieren Sie ein Stichwort zu den Fragen der Gäste. Kann Alexander Sober die Fragen sofort beantworten? Was tut er, wenn er nicht Bescheid weiß?**

	Frage	Ja	Nein	Was tut er?
1	Rückenmassage		X	verbindet mit Spa-Abteilung
2				
3				
4				

11
14 b **Hören Sie die Telefongespräche noch einmal. Wie sagt Alexander Sober, dass er die Frage nicht sofort beantworten kann? Welches Redemittel kommt in welchem Gespräch vor?** AB

> **sich erkundigen / weiterverbinden**
>
> Gespräch   /   *Da muss ich mich selbst erst erkundigen. Kann ich Sie ... zurückrufen?*
> Gespräch   *Einen kleinen Moment bitte, ich schaue mal nach ...*
> Gespräch   *Da verbinde ich Sie am besten gleich mit ... Die Kollegen dort ...*
> Gespräch   *Da kann Ihnen ... besser Auskunft geben. Darf ich Sie mit ... verbinden?*
> Gespräch   *Das kann ich Ihnen im Moment nicht sagen. Ich erkundige mich und melde mich dann wieder bei Ihnen.*
> Gespräch   *Da muss ich kurz nachfragen. Möchten Sie einen Augenblick warten oder soll ich Sie zurückrufen?*

B4 **Rollenspiel: Arbeiten Sie zu zweit. Schreiben Sie ähnliche Gespräche und spielen Sie sie anschließend. Verwenden Sie die Redemittel aus B3b.** AB

Situation 1 Ein Gast ruft im Hotel an, um ein Zimmer zu buchen. Der Computer für die Buchungen funktioniert aber erst in einer Stunde wieder. Der Mitarbeiter des Hotels entschuldigt sich dafür und bietet an, zurückzurufen oder eine E-Mail zu schicken. Der Gast bittet um Rückruf.

Situation 2 Ein Lieferant ruft im Supermarkt an, um zu fragen, ob er auch eine Woche später liefern kann. Der Mitarbeiter kann das nicht alleine entscheiden und muss zuerst den Filialleiter fragen. Er bietet dem Lieferanten an, morgen zurückzurufen.

Situation 3 Ein Kunde ruft im Computerhandel an und fragt, ob der Laptop kx 1253 vorrätig ist. Der Mitarbeiter muss das zuerst überprüfen. Er fragt, ob der Kunde kurz warten möchte oder ob er zurückgerufen werden möchte. Der Kunde wartet.

C eine Beschwerde beantworten

C1 Haben Sie sich schon einmal über ein Hotel geärgert?
Haben Sie sich nach Ihrem Aufenthalt beschwert?
Wenn ja, wie? Erzählen Sie.

> Bei mir gab es einmal kein warmes Wasser. Ich habe sofort …

C2 | a Siglinde Marktfelder war mit ihrem Hotelaufenthalt nicht
zufrieden. Lesen Sie ihren Beschwerdebrief an das Hotel.
Worüber beschwert sie sich? Ist die Beschwerde berechtigt?
Diskutieren Sie. AB

Berlin, 15.07.20..

Sehr geehrte Damen und Herren,

vom 04.–12.07.20.. war ich Gast in Ihrem Hotel. Bei der Buchung war mir am Telefon versichert worden,
dass ich ein ruhiges Zimmer mit Aussicht aufs Meer und mit Internetanschluss bekommen werde.

Die Realität sah aber anders aus: Die versprochene Ruhe fand ich nicht, da direkt neben dem Hotel gebaut wurde.
Der Blick aufs Meer war durch die Baustelle verstellt. In der Regel begannen die Bauarbeiten um 6.30 Uhr am
Morgen, sodass an Ausschlafen nicht zu denken war. Um beruflich erreichbar zu sein, hätte ich in dieser Woche
jederzeit online sein müssen. Dies war nicht möglich, da der Internetanschluss meistens nicht funktioniert hat.

Sie werden sicher verstehen, dass ich von Ihnen eine angemessene Entschädigung erwarte. Bitte teilen Sie mir bis
30.07.20.. mit, welchen Betrag Sie mir als Entschädigung anbieten wollen. Andernfalls werde ich die Angelegen-
heit meinem Rechtsanwalt übergeben müssen.

Vielen Dank für Ihr Verständnis.

Mit freundlichen Grüßen

Siglinde Marktfelder

b Was ist hier schiefgegangen? Was hätten die Angestellten des Hotels tun sollen,
um diese Reklamation zu vermeiden? AB

C3 | a Markieren Sie im Brief alle Verbformen des Futur I.

b Welche Bedeutung haben die Sätze mit Futur I zusätzlich
zur Bedeutung „Zukünftiges"? AB

Aufforderung: ....

Vermutung: ....

Drohung: ....

Versprechen: ... dass ich ein ruhiges Zimmer mit ... bekommen werde.

Futur I
S. 39
ich werde
du wirst
er/sie/es wird … + Infinitiv
wir werden
ihr werdet
sie/Sie werden

C4 Beantworten Sie den Beschwerdebrief. Die Textbausteine helfen Ihnen.
Denken Sie an die Anrede und die Grußformel. AB

sich entschuldigen
Es tut uns sehr leid, dass
  Sie sich nicht so wohl-
  gefühlt haben. …
Wir bedauern sehr, dass …

erklären
Normalerweise ist es selbstverständlich
  möglich, … zu …
Leider war wegen …
Natürlich darf es nicht zu einem Problem
  für unsere Gäste werden, dass …

ein Angebot machen
Wir möchten Ihnen folgendes Angebot
  machen/unterbreiten: …
Wir möchten Ihnen als Entschädigung …
  anbieten.
Wir werden alles tun, damit …

Lektion 6

Daria Golde hat einen technischen Beruf

Daria Golde (34) arbeitet seit zwei Jahren beim ADAC-Pannendienst. Sie ist eine der wenigen Kfz-Mechatronikerinnen in Deutschland. Der Frauenanteil in diesem Beruf liegt unter 3 %.

1 Frauen und Technik! Was meinen Sie? Welche Erfahrungen haben Sie gemacht?

> Also, meine Frau kann fast alles selbst reparieren. Letzte Woche war der Staubsauger kaputt …

> Ich bitte immer meinen Mann, wenn irgendetwas nicht funktioniert. Er bekommt das oft wieder hin. Ich habe dafür keine Geduld.

> Mit meinem Handy kann ich nur telefonieren und SMS schreiben. Wenn es nicht geht, muss mir meine Tochter helfen.

2 Wie stehen Sie zur Technik? Welche technischen Geräte bedienen Sie privat, welche beruflich? Welche beherrschen Sie gut, welche nicht so gut? Welche können Sie reparieren, welche nicht? Erzählen Sie.

Fernseher | Handy | Kopierer | Auto | Navigationsgerät | Computer | Fotoapparat | Staubsauger | Nähmaschine | Bohrmaschine | Säge | Waschmaschine | …

A eine Bedienungsanleitung verstehen

A1 | a Sehen Sie die Abbildung an. Um was für ein Gerät handelt es sich? `AB`

Vorderseite

1 *Betriebsanzeige*
   Leuchtet = Gerät ist eingeschaltet

2 ....
   Berühren = Menü bedienen

3 ....
   Drücken = Menü schließen

4 ....
   Drücken = Lautstärke einstellen

5 ....
   Drücken = Stand-by-Modus einschalten

Rückseite

6 ....
   Drücken mit einem spitzen Gegenstand =
   Einstellungen zurücksetzen

7 Anschlussbuchse für eine externe Antenne

Oberseite

8 ....
   Drücken = Gerät ein-/ausschalten

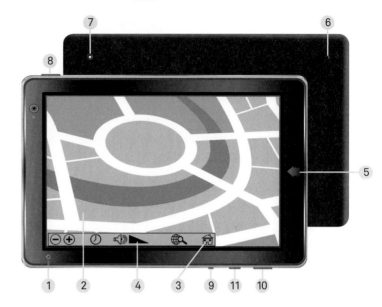

Unterseite

9 Kopfhöreranschluss
10 Speicherkarten-Steckplatz
11 Mini-USB-Anschluss für Ladegerät oder PC

b Ordnen Sie zu.

> Touchscreen | Lauter-/Leiser-Taste | Zurücksetzen-Taste |
> ~~Betriebsanzeige~~ | Stand-by-Taste | Ein-/Aus-Taste | Home-Taste

A2 | a Lesen Sie die Ausschnitte aus der Bedienungsanleitung. Welche Überschrift passt zu welchem Abschnitt? Ordnen Sie zu.

> Speicherkarten-Steckplatz | Auswerfen der Speicherkarte |
> Zweck der Speicherkarte | Einsetzen der Speicherkarte

A ....

Nehmen Sie die Speicherkarte aus ihrer Verpackung. Fassen Sie die Speicherkarte so an, dass die Kontaktleiste zum Gerät und in Richtung Geräterückseite zeigt. Schieben Sie die Speicherkarte unter leichtem Druck in das Kartenfach, bis diese darin einrastet.

B ....

Ihr Navigationsgerät besitzt ein Fach für eine Speicherkarte. Sie wird für Updates der Kartendaten verwendet. Man kann auch Musik, Bilder oder Videos auf der Karte speichern und mit dem Gerät wiedergeben.

C ....

Drücken Sie mit dem Finger die Speicherkarte leicht gegen die Federkraft in das Kartenfach. Die Karte wird herausgeschoben. Ziehen Sie die Speicherkarte heraus. Berühren Sie nicht die Kontaktleiste.

D ....

Das Kartenfach befindet sich auf der unteren Geräteseite. Es ist mit einem Rast- und Auswurfmechanismus ausgerüstet.

b Lesen Sie die Abschnitte noch einmal und bringen Sie sie in die richtige Reihenfolge. `AB`

B ein technisches Gerät beschreiben und erklären

B1 | a Lesen Sie die E-Mail. Welches Problem hat Sven Schubert?

Von: s.schubert@lgmx.de
An: info@autohausbeck.de
Betreff: Navi

Sehr geehrte Damen und Herren,

Sie haben mir gestern in mein Auto ein Navigationsgerät eingebaut. Leider habe ich keine Bedienungsanleitung bekommen, was mir erst zu Hause aufgefallen ist. Weil ich telefonisch niemanden erreicht habe und heute schwer erreichbar bin, möchte ich Sie bitten, mir ein paar Fragen schriftlich zu beantworten: Auf der Vorderseite des Geräts ist eine Taste, auf der „ON" steht. Wenn ich sie drücke, geht das Gerät aber nicht an. Was kann ich tun? Außerdem möchte ich wissen, wo man den Kopfhörer anschließen kann. Sie hatten mir gesagt, dass das geht, aber ich finde keine Buchse.

Mit freundlichen Grüßen
Sven Schubert

b Sehen Sie sich die Abbildung auf Seite 33 an.
Wie lassen sich die Fragen von Herrn Schubert beantworten? AB

Lokale Präpositionen
S. 39
  Wo? (+ Dativ): **in** mein**em** *Auto*
  Wohin? (+ Akkusativ): **in** mein *Auto*

B2 Ergänzen Sie die Artikelwörter und Adjektivendungen:
Dativ oder Akkusativ? AB

1. Die Home-Taste befindet sich auf d_____ Vorderseite über d_____ Touchscreen.
2. Das Ladegerät kommt in d_____ Anschlussbuchse auf d_____ rechten Seite.
3. Die Leiser-Taste ist neben d_____ Lauter-Taste.
4. Eine Speicherkarte wird in d_____ Steckplatz auf d_____ unteren Seite gesteckt.

B3 Schreiben Sie eine E-Mail und antworten Sie Herrn Schubert. Benutzen Sie die Textbausteine. Geben Sie
genau an, wo sich die Taste und der Anschluss befinden. Denken Sie an Anrede und Schluss. AB

Einleitungssatz	*sich entschuldigen/*	*Fragen beantworten*	*Schluss*
Vielen Dank für Ihre	*Lösung anbieten*	*Um das Gerät einzuschalten, müssen Sie*	*Bei weiteren Fragen/*
E-Mail vom ...	*Bitte entschuldigen*	*die ...-Taste ...*	*Wenn Sie weitere*
Gern beantworten	*Sie, dass ...*	*Die ...-Taste benutzt man, um ...*	*Fragen haben,*
wir Ihre E-Mail	*Es tut uns leid, dass ...*	*Die ...-Taste befindet sich / ist auf ...*	*können Sie sich*
vom ...	*Wir schicken Ihnen die*	*Der ...anschluss befindet sich / ist ...*	*gern an uns*
	Bedienungsanleitung	*Sie müssen ... in ... auf ... stecken.*	*wenden.*
	sofort zu.		

Sehr geehrter Herr Schubert,

vielen Dank für Ihre E-Mail von heute Vormittag. Bitte entschuldigen Sie, dass wir vergessen haben, Ihnen die Bedienungsanleitung mitzugeben. Wir schicken ...

B4 Rollenspiel: Fragen und antworten Sie wie im Beispiel. Arbeiten Sie zu zweit und
tauschen Sie die Rollen. AB

Wo ist ... / Wo kann man ... / Wo finde ich ...
Mit welcher Taste kann man ... / Wie kann man ... /
Was muss ich drücken, um ...
Wozu benutzt man ... / Wofür ist ...

Wo kann man den Stand-by-Modus einschalten?

Auf der Vorderseite. Dort befindet sich die Stand-by-Taste.

C ein Problem beschreiben und um Hilfe bitten

15 **C1 | a** Ingo Kreuzer hat ein Problem mit dem Drucker. Hören und lesen Sie das Gespräch.

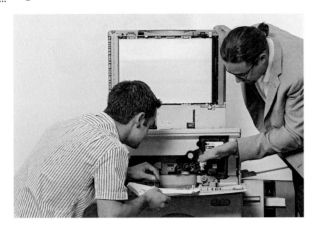

Kreuzer: Herr Miller, können Sie mir mal kurz helfen? Ich wollte gerade eine Rechnung ausdrucken, aber der Drucker druckt nicht.
Miller: Ich komme.
Kreuzer: Was mache ich denn da jetzt am besten?
Miller: Ach, die Lampe blinkt. Die Tonerkassette ist leer.
Kreuzer: Welche Lampe?
Miller: Diese, die rote hier oben.
Kreuzer: Haben wir noch Toner?
Miller: Nein, der ist bestellt, aber noch nicht geliefert …
Kreuzer: Und was kann man da jetzt machen?
Miller: Sie können die Tonerkassette herausnehmen und schütteln. Meistens hilft das.
Kreuzer: O.k., ich probier's mal. … Herr Miller?!
Miller: Ja?
Kreuzer: Die Klappe geht nicht auf.
Miller: Welche Klappe?

Kreuzer: Die da vorn.
Miller: Sie müssen nur kräftig ziehen.
Kreuzer: Was ist besser: wenn ich langsam ziehe oder ruckartig? Ich will ja nichts kaputt machen.
Miller: Das ist egal, Hauptsache sie geht auf. Sie machen schon nichts kaputt.
Kreuzer: Können Sie mir einen Tipp geben, wie ich die Tonerkassette am besten herausbekomme?
Miller: Sie müssen sie einfach ein bisschen nach oben ziehen, dann geht es ganz leicht.
Kreuzer: Sie klemmt! Muss man vielleicht noch den Hebel nach oben ziehen?
Miller: Welchen Hebel?
Kreuzer: Ich meine den blauen da, der an der rechten Seite ist.
Miller: Ach, den hätte ich fast vergessen. … Sehen Sie, jetzt klappt es. So, und jetzt schütteln und wieder einsetzen. Dann druckt er wieder.

b Welches Problem hat Herr Kreuzer? Welchen Rat gibt Herr Miller?   AB

C2 Lesen Sie das Gespräch in C1. Markieren Sie passende Ausdrücke und ordnen Sie diese zu.   AB

> **auf einen Gegenstand deuten**
> *diese … hier oben*

> **um Hilfe / um einen Tipp bitten**
> *…, können Sie mir mal kurz helfen?*

C3 Rollenspiel: Spielen Sie zu zweit. Verwenden Sie die Wendungen aus C2.
Tauschen Sie beim zweiten Gespräch die Rollen.

Partner A Ihr Diensthandy ist kaputt. Es lässt sich nicht mehr einschalten. Sie fragen einen Kollegen um Rat. Da Sie dieses Handy erst seit ein paar Tagen haben, lassen Sie sich Schritt für Schritt erklären, was Sie genau machen sollen.

Partner B Ein Kollege bittet Sie um Hilfe, da sein Diensthandy sich nicht mehr einschalten lässt. Sie raten, das Gerät zu öffnen und den Akku gegen einen neuen auszutauschen. Schlagen Sie außerdem vor, die SIM-Karte herauszunehmen und wieder einzusetzen und es dann erneut zu versuchen.

Kinder und Beruf – geht das?

1 Welche Probleme kann es geben, wenn man arbeitet und kleine Kinder hat? Sammeln Sie.

zu wenig Zeit für das Kind

Arbeiten mit
Kindern – Probleme

lange Wartezeit auf Krippenplatz

2 Lesen Sie den Zeitschriftenartikel. Sind die Aussagen richtig oder falsch? Kreuzen Sie an.

		r	f
1.	Besonders Mütter hören vorübergehend auf zu arbeiten, wenn sie kleinere Kinder haben.	☐	☐
2.	In Deutschland werden weltweit die wenigsten Kinder geboren.	☐	☐
3.	Die Zahl der Geburten ist in Westdeutschland am stärksten gesunken.	☐	☐
4.	Die Bundesregierung möchte mehr Plätze in Kindertagesstätten schaffen.	☐	☐
5.	Die Kindertagesstätten haben ausreichend viele Erzieherinnen.	☐	☐
6.	Die Bundesregierung unterstützt auch familienfreundliche Betriebe.	☐	☐

Deutsche bekommen immer weniger Kinder

Kinder und Beruf – dieses Thema wird in Deutschland immer wieder heftig diskutiert. Soll man weitere Kindertagesstätten – Kindergärten, Horte und Krippen – bauen oder reicht das Betreuungsangebot? Wäre es 5 vielleicht besser, wenn der Vater oder die Mutter zu Hause bleibt? Weil Männer in der Regel aber mehr verdienen, sind es fast immer die Mütter, die eine Zeit lang aus dem Beruf aussteigen oder ihn sogar ganz aufgeben.

10 Vor allem in den westlichen Bundesländern fehlt immer noch eine große Zahl von Krippenplätzen, obwohl es in Deutschland immer weniger Kinder gibt. Hier werden inzwischen am wenigsten Kinder in Europa geboren. Seit 2000 hat die Zahl der Kinder in Westdeutschland um zehn Prozent abgenommen, in Ostdeutschland 15 sogar um 29 Prozent. Und Wissenschaftler gehen davon aus, dass die Zahl weiter zurückgeht.

Die Bundesregierung will dem Geburtenrückgang mit einem verbesserten Betreuungsangebot entgegenwirken. Deshalb wird zurzeit sehr viel Geld in den Aus- 20 bau der Kindertagesstätten investiert, doch die Ziele sind noch lange nicht erreicht. Aber auch wenn es die Plätze gibt, fehlt oft das notwendige qualifizierte Personal. Auch private Initiativen werden unterstützt, zum Beispiel Unternehmen, die die frühe Rückkehr 25 an den Arbeitsplatz durch betriebliche Krippen und Kindergärten fördern und so zu familienfreundlichen Betrieben werden.

3 Wettbewerb „Familienfreundliche Betriebe in Hessen" – Hören Sie das Interview mit dem Preisträger, Herrn Simmler von der Gebäudereinigungsfirma Rein-Bau, und lesen Sie die Aussagen. Wird das im Interview gesagt? Ja? Dann kreuzen Sie an.

☐ Die Firma Rein-Bau hat den Preis „Familienfreundliche Betriebe in Hessen" gewonnen.

☐ Rein-Bau kümmert sich seit 10 Jahren darum, dass der Betrieb familienfreundlicher wird.

☐ Bei Rein-Bau herrscht ein familienfreundliches Klima, d.h. Eltern haben keine beruflichen Nachteile, wenn sie sich um ihre Kinder kümmern und deshalb z.B. ihre Arbeitszeit reduzieren.

☐ Für Eltern ist die Arbeitszeitdauer flexibel, d.h. sie können an jedem Tag unterschiedlich lange arbeiten.

☐ Nach einer Geburt unterbrechen die Mütter bei Rein-Bau ihre Arbeit oft nur für kurze Zeit.

☐ Eltern können bei Rein-Bau die Arbeitszeit mitbestimmen, d.h. sie können mitentscheiden, wann sie mit der Arbeit beginnen.

☐ Die Mitarbeiter von Rein-Bau fehlen nicht mehr so oft und kündigen seltener als früher.

☐ Rein-Bau bietet den Mitarbeitern an, den Kindergarten in der Nähe des Betriebs zu nutzen.

4 **Wie sieht es in Ihrem Heimatland mit der Vereinbarkeit von Arbeit und Kindererziehung aus? Erzählen Sie im Kurs.**

– Wer kümmert sich um die Kinder, wenn die Eltern arbeiten?
– Was tut der Staat?
– Gibt es familienfreundliche Betriebe?

> Bei uns in Frankreich ist die Betreuung sehr gut organisiert. Die Kinder sind ab zwei oder drei Jahren in Ganztagesschulen, die zum staatlichen Schulsystem gehören. Dadurch haben auch die Betriebe weniger Probleme.

5 | a Wettbewerb „Familienfreundlicher Betrieb" – Ihre Firma nimmt an dem Wettbewerb „Familienfreundlicher Betrieb" teil. Was soll ein familienfreundlicher Betrieb seinen Mitarbeitern bieten? Sammeln Sie in der Gruppe.

b Machen Sie ein Plakat für den Wettbewerb und präsentieren Sie Ihr familienfreundliches Unternehmen im Kurs.

> **Wir sind ein Unternehmen, das seine Mitarbeiter/innen unterstützt:**
>
> • Bei uns können Sie entscheiden, wie viel Sie arbeiten wollen (Vollzeit/Teilzeit).
>
> • Wir haben einen eigenen Kindergarten.
>
> • Ihre Kinder sind schon groß? Dann können Sie ...

c Welcher Betrieb überzeugt am meisten? Wählen Sie den familienfreundlichsten Betrieb in Ihrem Kurs.

zustimmen
Ich finde, dass ... recht hat.
Das habe ich genauso empfunden.
Ja, das hört sich gut an.
Das sehe ich genauso.

widersprechen
Ich habe ganz andere Erfahrungen gemacht.
Da bin ich mir nicht so sicher.
Ich glaube, das stimmt so nicht ganz!
Ja, aber ...

die eigene Position darstellen
Ich meine, dass ...
Ich finde es schon wichtig, dass ...
Manchmal denke ich, ...
Ich bin der Ansicht, dass ...

nach der Meinung fragen
Was meinen Sie?
Sind alle damit einverstanden (, dass ...)?
Woran liegt das?
Wie wäre es, wenn ...?

absagen/einwenden
Das geht leider nicht. Ich ...
Das würde ich ein andermal gern tun, aber heute ...
Das tut mir leid. Ausgerechnet heute ...

nachhaken
Könnten Sie nicht ...?
Vielleicht wäre es möglich ...
Das macht nichts. Sie können ...

einlenken
Vielleicht gibt es doch eine Möglichkeit. Ich ...
Na gut, dann ...
O. k., ich versuche es.

sich erkundigen/weiterverbinden
Da muss ich mich selbst erst erkundigen.
  Kann ich Sie ... zurückrufen?
Einen kleinen Moment bitte, ich schaue mal nach ...
Da verbinde ich Sie am besten gleich mit ...
  Die Kollegen dort ...
Da kann Ihnen ... besser Auskunft geben.
  Darf ich Sie mit ... verbinden?
Das kann ich Ihnen im Moment nicht sagen.
  Ich erkundige mich und melde mich dann
  wieder bei Ihnen.
Da muss ich kurz nachfragen. Möchten Sie einen
  Augenblick warten oder soll ich Sie zurückrufen?

sich entschuldigen
Bitte entschuldigen Sie, dass ...
Es tut uns sehr leid, dass ...
Wir bedauern sehr, dass ...

erklären
Normalerweise ist es selbstverständlich möglich, ...
  zu ...
Leider war wegen ...
Natürlich darf es nicht zu einem Problem für unsere
  Gäste werden, dass ...

ein Angebot machen
Wir möchten Ihnen folgendes Angebot machen/
  unterbreiten: ...
Wir möchten Ihnen als Entschädigung ... anbieten.
Wir werden alles tun, damit ...
Wir schicken Ihnen die Bedienungsanleitung
  sofort zu.

Einleitungssatz
Vielen Dank für Ihre E-Mail vom ...
Gern beantworten wir Ihre E-Mail vom ...

Fragen beantworten
Um das Gerät einzuschalten, müssen Sie
  die ...-Taste ...
Die ...-Taste benutzt man, um ...
Die ...-Taste befindet sich / ist auf ...
Der ...anschluss befindet sich / ist ...
Sie müssen ... in ... auf ... stecken.

Schluss
Bei weiteren Fragen / Wenn Sie weitere Fragen
  haben, können Sie sich gern an uns wenden.

auf einen Gegenstand deuten
Dieser/Diese/Dieses ... hier oben / dort unten /
  da vorn ...
Der/Die/Das ... da.

um Hilfe / um einen Tipp bitten
..., können Sie mir mal kurz helfen?
Was mache ich da am besten?
Und was kann man da machen?
Was ist besser?
Können Sie mir einen Tipp geben, ...?

Audio-Training: www.hueber.de/im-beruf/lernen

Wir bitten **die Verwandten**, dass **sie** die Heimbewohner zu Spaziergängen motivieren.
Wir bitten die Verwandten, die Heimbewohner zu Spaziergängen zu motivieren.

Zu steht direkt vor dem Infinitiv.
Bei trennbaren Verben steht zu zwischen den Verbteilen:

Wir bitten **sie**, dass **sie** mit uns zusammenarbeiten.
Wir bitten sie, mit uns zusammen<u>zu</u>arbeiten.

Ein Infinitiv mit zu ist möglich, wenn das Subjekt des *dass*-Satzes auch im Hauptsatz vorkommt (*sie = die Verwandten*), nicht jedoch mit einigen bestimmten Verben (*sagen, fragen, antworten, sehen, hören, wissen …*).

S. 29 | Negation

Die Negation steht bei dem negierten Satzteil:

Morgen habe ich **Zeit** für dich.
Morgen habe ich keine **Zeit** für dich.
Für eine Weltreise braucht man **Zeit** und **Geld**.
Aber ich habe weder **Zeit** noch **Geld**.

Oder sie ersetzt diesen Satzteil:

Ich habe **irgendwo** meinen Schlüssel verloren, kann ihn aber nirgendwo finden.
Ich habe **etwas** gehört.
Ich habe nichts gehört.
Über dieses Problem sprach er mit **Herrn Mayer**.
Er sprach mit niemandem darüber.

Wird der ganze Satz negiert, steht *nicht* möglichst weit am Ende.

Ich schlafe.
Ich schlafe nicht.
Ich habe nicht geschlafen.

S. 31 | Futur I

ich	werde		wir	werden	
du	wirst	+ Infinitiv	ihr	werdet	+ Infinitiv
er/sie/es	wird		sie/Sie	werden	

Im Deutschen drückt man etwas, was in der Zukunft liegt, meist mit dem Präsens und einer Zeitangabe aus:

Morgen arbeite ich nicht.

Daher hat das Futur I oft eine andere oder zusätzliche Bedeutung:

Das werde ich heute noch erledigen.	= Zusicherung
Das wirst du mir büßen.	= Drohung
Hanni wird das schon machen.	= Vermutung

S. 34 | Lokale Präpositionen

Lokale Präpositionen mit Dativ drücken einen festen Ort aus:

Die Schlüssel müssen in **meinem Auto** sein.
Der Anschluss ist auf **der linken Seite**.

Lokale Präpositionen mit Akkusativ drücken eine Richtung aus:

Stecken Sie die Speicherkarte in **das Steckfach**.

Die Wechselpräpositionen können mit Dativ (= Ort) und mit Akkusativ (= Richtung) verwendet werden:
an, auf, hinter, in, neben, über, unter, vor, zwischen.

Lektion 7

Menschen in unserer Stadt: Mehmet Cetin

Wenn andere noch schlafen, beginnt sein Arbeitstag. Mehmet Cetin steht um zwei Uhr morgens auf und geht zur Arbeit. Er ist Bäckermeister in der Bäckerei Brot & Co. am Spittelmarkt. Mehmet Cetin ist nicht nur für die Herstellung von Backwaren zuständig, sondern kümmert sich tagsüber um die Warenpräsentation im Laden und berät auch Kunden.

Mit 17 Jahren wusste er noch nicht, welchen Beruf er lernen sollte. Ein Zufall brachte ihn auf die Idee, eine Bäckerlehre zu machen: Ein Freund war auf der Suche nach einem Job. Mehmet Cetin begleitete ihn zur Bundesagentur für Arbeit. Dort entdeckten die beiden Jugendlichen die Computer im Berufsinformationszentrum (BIZ) und surften in der Datenbank BERUFEnet, in der verschiedene Berufe sehr ausführlich beschrieben sind. Mehmet Cetin machte dort zum Spaß einen Berufstest – und wurde Bäcker. „Ich habe diese Entscheidung nie bereut", sagt der 32-Jährige, „auch wenn die Arbeitszeiten sehr anstrengend sind. Mein Beruf ist wirklich sehr interessant und vielseitig."

1 .... **Wie sind Sie zu Ihrem Beruf gekommen? Erzählen Sie.**

> Berufsinformationszentrum | Berufsberatung | Tipp vom Lehrer | Vorschlag der Eltern | …

2 |a **Machen Sie den Bäcker-Berufstest.**

Wäre dieser Beruf etwas für Sie? Testen Sie sich selbst!
Welche Fähigkeiten, Kenntnisse und Fertigkeiten besitzen Sie? Kreuzen Sie an.

☐ Qualitätsbewusstsein (z. B. Produktmängel erkennen)
☐ Handwerkliche Fertigkeiten (z. B. Teig formen, Torten verzieren)
☐ Technisches Verständnis (z. B. Backöfen und Backgeräte warten und Fehler beheben)
☐ Sinn und Gefühl für Ästhetik (z. B. neue Dekors für Backwaren gestalten, neue Rezepturen entwickeln)
☐ Rechenfertigkeiten (z. B. Gewichtsangaben (kg, g) umrechnen)
☐ Mündliches Ausdrucksvermögen (z. B. Kunden beraten und informieren)

....b **Welche Fähigkeiten, Kenntnisse und Fertigkeiten aus dem Test besitzen Sie, welche nicht? Vergleichen Sie mit Ihrem / Ihrer Lernpartner/in.**

....c **Welche Fähigkeiten, Kenntnisse und Fertigkeiten sind für Ihren Beruf besonders wichtig? Erzählen Sie.**

A Werbeaussagen eines Unternehmens verstehen

A1 | a Die Bäckerei Brot & Co. präsentiert sich ihren Kunden im Internet. Lesen Sie die Selbstdarstellung. Ordnen Sie die Adjektive als Überschriften zu.

regional | natürlich | zertifiziert

Brot & Co.

Startseite
Unsere Philosophie
Produkte
Filialen
Kontakt

❶ ....

So muss unser wichtigstes Lebensmittel sein: frisch und rein, ohne synthetische Zusatzstoffe. Zufriedene Kunden und unser Erfolg beweisen, dass wir damit richtig liegen. Frisch gemahlene Mehle aus sorgfältig ausgewähltem Getreide, gutes Wasser, natürlicher Sauerteig, Hefe und etwas Salz – mehr braucht es nicht.

❷ ....

Wir schaffen Vertrauen – durch menschliche und geografische Nähe. Die Höfe, deren Getreide wir verarbeiten, sind hier in unmittelbarer Nähe. Und gemahlen wird gleich in der Nachbarschaft, in der Leinbachmühle. Das stärkt unsere Region, und der kürzere Transportweg ist besser für die Umwelt.

❸ ....

Wir von Brot & Co. arbeiten nach den höchsten Standards: Das beweisen regelmäßige Überprüfungen durch unabhängige Institute. Kontrolliert wird neben der Rohstoff-qualität auch die Verwendung von Zusatzstoffen. Wir produzieren nach Qualitätsmaß-stäben, die über den gesetzlichen Vorgaben liegen.

b **Welche Aussage ist richtig? Kreuzen Sie an.** AB

☐ Das Konzept der Bäckerei hat sich bewährt.
☐ Die Qualität der Produkte ist höher als vorgeschrieben.
☐ Die Bäckerei macht Werbung damit, keine künstlichen Zutaten zu verwenden.
☐ Brot & Co. vermeidet lange Transportwege, um Geld zu sparen.
☐ „Regional" bedeutet, dass der Betrieb kein importiertes Mehl verarbeitet.
☐ Die Qualität wird von externen Fachleuten überprüft.

A2 | a **Ergänzen Sie die Adjektivendungen.**

1. Die Bäckerei arbeitet nach den höchst____ Standards.
2. Die Qualität der Produkte wird durch unabhängig____ Institute überprüft.
3. Der kürzer____ Transportweg ist besser für die Umwelt.
4. Natürlich____ Sauerteig ist eine der Zutaten für das Brot.

> **Adjektivdeklination**
> S. 89
>
> **der** synthetische Zusatzstoff –
> synthetischer Zusatzstoff
> **die** synthetischen Zusatzstoffe –
> synthetische Zusatzstoffe

b **Schreiben Sie die unterstrichenen Nomen aus A2a mit Artikel und Adjektiv in die Tabelle.** AB

mit Artikel	den	höchsten	Standards	
ohne Artikel	—		—	

A3 **Wie wichtig ist Brot für Sie? Welche Rolle spielt es für Ihre Ernährung? Erzählen Sie.**

B ein Beratungsgespräch verstehen

B1 Welche Brotsorten kennen Sie? Welche schmecken Ihnen besonders gut? Sprechen Sie.

Brezeln   Baguette   Brötchen

17 **B2|a** Mehmet Cetin berät eine Kundin. Hören Sie das Telefonat. Was möchte die Kundin wissen? Kreuzen Sie an.

Die Kundin möchte wissen,

☐ 1. ob die Bäckerei Gebäck für das Jubiläumsfest liefern kann.
☐ 2. welches Gebäck für das Buffet geeignet ist.
☐ 3. welche Zutaten im Gebäck enthalten sind.

☐ 4. wie viel das Gebäck für die Feier insgesamt kostet.
☐ 5. wie viel Gebäck sie für die Feier benötigt.
☐ 6. welches Gebäck besonders gesund ist.
☐ 7. ob es eine Produktbeschreibung gibt.

b Welche Antwort passt zu welcher Frage aus a? Ordnen Sie zu.

1. Na ja, ich würde schon sagen, für jede Person circa fünf Teile. Frage: 5
2. Wenn wir rechtzeitig wissen, was Sie benötigen, dann ist das kein Problem. Frage: _____
3. Unsere Partybrötchen … Die würde ich an Ihrer Stelle auf jeden Fall nehmen. Die passen zu allem. Frage: _____

17 **c** Hören Sie das Gespräch noch einmal. Was antwortet Mehmet Cetin auf die anderen Fragen aus a? AB

Frage 4: Am besten ist es, wir …

B3 Welche der folgenden Redemittel passen zum Kunden (K), welche zum Mitarbeiter der Firma (F)? AB

sich am Telefon melden
(Firma), (Familienname), guten Tag.   F + K
Was kann ich für Sie tun?   _____

Waren beschreiben
Aus was wird … gemacht/hergestellt?   _____
In … ist/sind …   _____
… besteht aus/enthält …   _____

Telefonate beenden
Wie verbleiben wir?   _____
Sie hören von mir, sobald …   _____
Vielen Dank, dass … / Vielen Dank für …   _____
Nichts zu danken. / Gern geschehen.
Auf Wiederhören!

Waren empfehlen
Was können Sie mir (als/für …) empfehlen?   _____
Und was passt am besten zu …?   _____
Nehmen Sie (für …) doch …   _____
… wird häufig gewählt/genommen.
Ich würde Ihnen zu … raten.

B4|a Schreiben Sie Sätze einmal mit *um … zu* und einmal mit *damit*. Bei welchem Satz gibt es nur eine Möglichkeit?

> Finale Konjunktionen
> S. 55
>
> …, **um** liefern **zu** können
> …, **damit** wir liefern können

1. Ich müsste die ungefähre Höhe der Kosten für das Gebäck kennen, … (Ich kann genau planen.)
   um genau planen zu können. / damit ich …

2. Ich brauche eine Liste, … (Ich kann mir alles in Ruhe ansehen.)

3. Sie müssen das Gebäck vorbestellen, … (Wir können alles rechtzeitig herstellen.)

b Was wird mit den *um … zu-/damit*-Sätzen ausgedrückt? Kreuzen Sie an. AB

☐ Grund   ☐ Gegensatz   ☐ Bedingung   ☐ Ziel/Zweck

C ein Beratungsgespräch führen

Im Restaurant Tasty werden viele Betriebs- und Familienfeiern ausgerichtet. Das Essen muss vorbestellt werden. Die Kunden können für ihre Gäste aus der Speisekarte ein Menü zusammenstellen. Dabei werden sie vom Servicepersonal des Restaurants beraten.

C1 Lesen Sie die Fragen 1 bis 4 und die Speisekarte. Was würden Sie antworten? Machen Sie sich Notizen.   AB

1. Wir haben auch einige Vegetarier. Was können Sie mir für die empfehlen?
2. Hm, Fisch mag vielleicht nicht jeder. Haben Sie noch andere Suppen?
3. Am liebsten wäre mir ein Fleischgericht.
4. Zum Nachtisch möchten wir etwas Fruchtiges.

SUPPEN	Tomatencremesuppe ✘ *(Gemüsebrühe, frische Tomaten, Sahne, Basilikum)*	4,50
	Fischsuppe ✘ *(verschiedene Fischsorten, Gemüse, Knoblauch)*	6,50
	Kürbis-Ingwer-Suppe ✘✘✘ *(Kürbis, Ingwer, Sahne)*	5,00
HAUPTGERICHTE	Spaghettini ✘ *(Olivenöl, Knoblauch, frische Kräuter)*	7,50
	Pizza Collage *(Mozzarella, Parmaschinken, Tomatensoße; Zutaten nach Wunsch)*	9,50
	Fischteller ✘ *(Vier verschiedene Fischsorten vom Grill, Tomaten-Butter, Salzkartoffeln, gemischter Salat)*	14,50
	Putensteak vom Grill *(Putensteak, mit frischen Tomaten und Mozzarella überbacken, Tomatensauce, gebackene Kartoffeln, gemischter Salat)*	13,50
DESSERTS	Gemischtes Eis *(Drei Sorten nach Wahl)*	5,50
	Obstsalat ✘ *(Vier verschiedene Früchte, Mandeln)*	5,50
	Himbeertraum *(Himbeeren, Sahne)*	5,00

✘ scharf; ✘ vegetarisch; ✘ gesund/kalorienarm

C2 Rollenspiel: Spielen Sie zu zweit. Führen Sie ein Beratungsgespräch. Tauschen Sie die Rollen.   AB

Partner A Sie sind der Kunde / die Kundin und rufen beim Restaurant Tasty an. Sie sollen die Weihnachtsfeier Ihrer Firma organisieren. Es werden 39 Personen teilnehmen, davon neun Vegetarier. Lassen Sie sich Gerichte empfehlen. Fragen Sie nach den Zutaten. Fragen Sie nach Alternativen.

Partner B Sie arbeiten im Restaurant Tasty und empfehlen Gerichte und beantworten die Fragen. Empfehlen Sie zunächst das teuerste Gericht und reagieren Sie dann auf die Fragen und Einwände des Kunden.

Machen Sie sich Notizen zu Ihren Fragen und Antworten. Nutzen Sie dazu die Informationen aus der Speisekarte. Verwenden Sie im Gespräch die Redemittel aus B3 und gehen Sie nach dem folgenden Schema vor.

● Begrüßung
◆ Begrüßung, Schilderung der Situation
● 1. Vorschlag, teuerstes Gericht
◆ Einwand: z.B. Fisch mögen nicht alle.
  ...

◆ O.k., Bitte: Speisefolge faxen, Angebot machen
● Versprechen: schicken es morgen

Lektion 8
Marwan Abbas hat eine Vertretungsstelle

Für unsere Kindertagesstätte
suchen wir ab sofort

eine/n staatlich anerkannte/n Erzieher/in

als Leitung einer Krippengruppe
(Elternzeitvertretung) für ein Jahr mit
der Möglichkeit der Übernahme in ein
unbefristetes Arbeitsverhältnis.

Voraussetzungen
– Erfahrung im Umgang mit Kindern
  unter drei Jahren
– interkulturelle Kompetenz
– PC-Kenntnisse
– gern mit Migrationshintergrund
  bzw. guten Sprachkenntnissen
  (Türkisch, Arabisch, Englisch etc.)

Ihre Bewerbungsunterlagen senden
Sie bitte an:

HWO Kindertagesstätte
z. Hd. Frau Paula Mielke
Kieler Straße 38
24420 Flensburg

1 Lesen Sie die Anzeige. Warum sucht die Kindertagesstätte eine/n Erzieher/in?
Warum werden interkulturelle Kompetenz und Sprachkenntnisse vorausgesetzt? Sprechen Sie.

2 Marwan Abbas hat sich erfolgreich auf die Stelle beworben. Würden Sie sich auf eine Vertretungsstelle
bewerben? Warum (nicht)? Welche Nachteile hat eine solche Stelle? Sehen Sie auch Vorteile und Chancen?
Sammeln Sie Argumente und sprechen Sie.

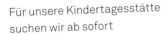

neue Erfahrungen – ...

Ich würde mich als Vertretung
bewerben. So kann ich neue
Erfahrungen sammeln und ...

Ich möchte keine Vertretungsstelle
haben, denn ...

3 Männer in Frauenberufen: Was meinen Sie? Gibt es Berufe, die Frauen besser ausüben als Männer?
Diskutieren Sie.

A sich mit Kollegen beraten

A1 Bitten Sie manchmal einen Kollegen / eine Kollegin um Rat? Bei welchen Fragen? Welche Erfahrungen haben Sie damit gemacht? Erzählen Sie.

> Ich bin noch nicht so lange bei meiner Firma. Deshalb weiß ich zum Beispiel manchmal nicht, wer für was zuständig ist. Dann frage ich meinen Kollegen. Der ist schon lange in der Firma und hilft mir sehr gern.

18 A2 Eine Mutter beschwert sich bei Marwan Abbas. Hören Sie das Gespräch. Was kritisiert Frau Czeri?　AB

A3|a Marwan Abbas spricht mit seiner Kollegin Nina Neumann über die Beschwerde. Lesen Sie das Gespräch. Markieren Sie dann im Text, welche Redemittel aus den Kästen benutzt werden.

Marwan: Nina, eben hat sich Frau Czeri bei mir beschwert, dass es hier in der Kita Tee mit Zucker gibt und Katharina manchmal Süßigkeiten isst. Ich habe ihr zwar gesagt, dass im Tee nur wenig Zucker ist und es Süßigkeiten nur an Kindergeburtstagen gibt, aber sie möchte, dass Katharina überhaupt nichts Süßes bekommt. [Was kann man da machen?]

Nina: Am einfachsten wäre es, wenn wir zwei verschiedene Teekannen hinstellen würden, eine mit und eine ohne Zucker. Damit wäre das Problem gelöst.

Marwan: Ja, so können wir das machen. Und was machen wir mit den Süßigkeiten?

Nina: Man muss Katharina ja keine Süßigkeiten geben, wenn die Mutter das nicht möchte.

Marwan: Aber dann wäre sie traurig. Sie würde bestimmt weinen, weil nur sie nichts Süßes bekommt. Soll ich mit der Mutter noch einmal reden? Vielleicht lässt sie sich überzeugen. Was meinst du?　　*Einwand/Widerspruch*

Nina: Das glaube ich nicht. Ich habe da eine Idee: Könnten wir nicht ganz auf Süßigkeiten verzichten? Wenn du willst, könnten wir den Eltern vorschlagen, dass das Geburtstagskind statt Süßigkeiten für alle Kinder Frühstück mitbringt: leckeres Obst, frische Brötchen ... Das wäre dann für die Kinder auch etwas Besonderes. Sie würden sich bestimmt freuen und würden die Süßigkeiten auch gar nicht vermissen.

Marwan: Das ist eine gute Idee. Meinst du, dass das klappt?

Nina: Warum nicht? Wir können es ja mal versuchen.

---

um Rat bitten
Was kann / könnte man da machen?
Wäre es besser, wenn ...
Meinst du, (dass) ...?
Was meinst du?

vorschlagen / einen Rat geben
Wenn du willst, könnten wir ...
Man muss / kann / soll ...
Könnten wir nicht ...?
Ich habe / hätte eine Idee / einen Vorschlag: ...
Warum machst du nicht ...?
Am einfachsten wäre es, wenn / ... zu ...

b Was geschieht in welchem Abschnitt? Ordnen Sie zu.　AB

> Schilderung des Problems | Bitte um Rat | Vorschlag | ~~Einwand/Widerspruch~~ | neuer Vorschlag

A4 Rollenspiel: Spielen Sie zu zweit ähnliche Gespräche über Probleme bei der Arbeit. Machen Sie dazu zunächst Notizen. Schildern Sie das Problem und bitten Sie um Rat. Ihr Partner macht einen Vorschlag zur Lösung des Problems.　AB

> Computer arbeitet heute sehr langsam | Kollege ist heute nicht zur Arbeit gekommen | ...

A5 Notieren Sie alle Konjunktiv-II-Formen im Gespräch in A3. Wo drückt der Konjunktiv II einen Vorschlag / Ratschlag aus, wo mögliche Folgen?　AB

> Konjunktiv II
> S. 55
> Wir **könnten** auf Süßigkeiten **verzichten**.
> Dann **wäre** sie traurig.
> Sie **würde** bestimmt **weinen**.

Vorschlag / Ratschlag	mögliche Folge
Am einfachsten wäre es, ...	

B über Fehler sprechen

B1 Lesen Sie den Auszug aus dem Zeitungsartikel. Was soll man tun, wenn man einen Fehler gemacht hat? Was soll man nicht tun? AB

Fehler im Job

Wem ist das bei der Arbeit nicht schon passiert: Sie haben etwas Wichtiges vergessen, Sie haben eine Maschine falsch bedient, Ihnen ist etwas kaputtgegangen oder Sie haben sich nicht gut genug mit Ihrem Kollegen abgesprochen, sodass eine wichtige Arbeit nicht rechtzeitig erledigt worden ist. Es gibt viele Möglichkeiten, etwas falsch zu machen, wenn man arbeitet.

5 Fehler am Arbeitsplatz sind den meisten Menschen sehr peinlich. Deshalb versuchen sie, ihre Fehler zu vertuschen. Doch dieses Verhalten ist völlig falsch, warnen Experten. Wichtig ist, souverän mit dem Fehler umzugehen. Wo gearbeitet wird, werden Fehler gemacht. Wenn man im Job erfolgreich sein will, dann kommt es also nicht darauf an, die Fehler zu verstecken, sondern darauf, wie man mit ihnen umgeht. Und das kann man lernen: Man sollte zu seinem Fehler stehen und vor allem richtig reagieren. Dazu gehört, sagen Arbeitspsychologen, sich
10 sofort dafür zu entschuldigen und eine Lösung für das Problem vorzuschlagen. Dann wird aus einem kleinen Fehler kein großes Problem.

Das soll man nicht tun:	Das soll man tun:
	souverän mit dem Fehler umgehen

19 **B2|a** Paula Mielke, die Leiterin der Kindertagesstätte (Kita), spricht mit Marwan Abbas. Hören Sie den Anfang des Gesprächs. Was ist passiert?

20 **b** Hören Sie das ganze Gespräch. Über welche Themen wird gesprochen? Notieren Sie. AB

Thema	selbst entscheiden	Leiterin fragen	im Team besprechen
Änderung der Buchungszeit	☐	☐	☐
	☐	☐	☐
	☐	☐	☐
	☐	☐	☐

20 **c** Hören Sie noch einmal. Was kann Marwan Abbas selbst entscheiden, wann muss er die Leiterin fragen, und was soll das ganze Team besprechen? Kreuzen Sie an.

B3 Was entscheidet man allein, was in einem größeren Kreis? Sammeln Sie Beispiele.

Urlaub: mit Kollegen besprechen, Chef fragen
Anschaffung eines neuen Computers: Chef fragen

B4 In den folgenden Sätzen besteht das Verb aus mehreren Teilen. Markieren Sie die Verbteile und verbinden Sie, was zusammengehört. AB

Sie haben etwas Wichtiges vergessen, Sie haben eine Maschine falsch bedient, Ihnen ist etwas kaputtgegangen oder Sie haben sich nicht gut genug mit Ihrem Kollegen abgesprochen, sodass eine wichtige Arbeit nicht rechtzeitig erledigt worden ist.
Wo gearbeitet wird, werden Fehler gemacht.
Wenn man im Job erfolgreich sein will, … Und das kann man lernen: Man sollte zu seinem Fehler stehen.

> Satzklammer
> S. 55
>
> Sie **haben** etwas Wichtiges **vergessen**.
> Bei der Arbeit **werden** Fehler **gemacht**.
> Das **kann** man **lernen**.

C Termine absagen und verschieben

C1 Marwan Abbas hat eine E-Mail bekommen und an seinem Platz einen Zettel mit einer Nachricht vorgefunden. Was soll er jeweils tun? **AB**

1

Sehr geehrte Damen und Herren,

anbei die gewünschten Informationen zu unserem Fortbildungskurs „Frühkindliche Entwicklung". Der Kurs findet am 29. 7. 20.. in unserem Schulungszentrum statt. Wir würden uns freuen, Sie bei uns begrüßen zu können. Das Anmeldeformular finden Sie im Anhang.

Mit freundlichen Grüßen
Herbert Schön

2

Hallo Marwan,
kannst Du mit mir morgen die Schicht tauschen? Ich muss unbedingt zum Zahnarzt und hab keinen anderen Termin bekommen.

Anna

C2 | a Lesen Sie die Redemittel. Drei passen nicht. Streichen Sie sie. **AB**

absagen und Gründe nennen
Ich kann leider nicht kommen, weil/ denn ...
Ich muss leider ... absagen, weil/denn ...
Am ... komme ich gern zu ...
Am/Um ... habe ich leider keine Zeit, weil/denn ...
Am/Um ... kann ich leider nicht, weil/ denn ...

Termin verschieben
..., aber am ... hätte ich Zeit.
Lässt/Ließe sich der Termin vielleicht auf ... verschieben?
Der Termin passt mir sehr gut.
Könnten wir/Sie den Termin eventuell auf den ... verschieben?
Würde es Ihnen auch am/um ... passen?

einen Vorschlag machen
Wir könnten Folgendes tun: ...
Können wir ...?
Ich schlage vor, dass ...
Das geht klar!
Könnten wir nicht ...?

b Beantworten Sie die E-Mail und die Nachricht in C1. Verwenden Sie die Redemittel. **AB**

1 Schreiben Sie eine Mail an den Anbieter des Fortbildungskurses. Ende Juli sind Sie im Urlaub, haben aber großes Interesse an diesem oder einem ähnlichen Kurs. Bitten Sie um weitere Termine oder um Vorschläge zu ähnlichen Themen.

2 Schreiben Sie Ihrer Kollegin eine Notiz. Sie können erst ab 9 Uhr arbeiten, weil Sie Ihr Kind zur Schule bringen müssen. Schlagen Sie Ihrer Kollegin vor, Frau Mielke zu fragen, ob es in Ordnung ist, wenn Sie erst um 9.00 Uhr kommen. Ihre Kollegin soll Sie heute Abend anrufen und Ihnen Bescheid geben, ob es so klappt.

C3 Rollenspiel: Spielen Sie zu zweit. Vereinbaren Sie Termine wie im Beispiel. Machen Sie Vorschläge und antworten Sie. Verwenden Sie die Redemittel aus C2. **AB**

Vorschlag	● Wollen wir morgen nach der Arbeit mal zusammen essen gehen?
Ablehnung mit Gründen / neuer Terminvorschlag	◆ Ja, das ist eine gute Idee. Aber morgen kann ich leider nicht, weil ich schon verabredet bin. Können wir das auf übermorgen verschieben?
Ablehnung mit Gründen / neuer Terminvorschlag	● Nein, da habe ich leider keine Zeit, mein Sohn hat Geburtstag. Würde es dir am Freitag passen?
Zusage	◆ Ja, super. Dann also am Freitag.

Situation 1 Der Chef schlägt vor, die Weihnachtsfeier am 18. Dezember zu machen. Sie können aber nicht, weil Sie zum Weihnachtskonzert Ihres Sohnes in die Schule gehen.

Situation 2 Ein Kollege möchte die Wochenplanung auf morgen verschieben. Sie haben morgen aber frei.

Situation 3 Ein Kollege möchte mit Ihnen am Freitag besprechen, wann wer von Ihnen im nächsten Jahr Urlaub nimmt. Sie fahren aber am Freitag direkt nach der Arbeit zu einem Familienfest.

Lektion 9

Das Service-Team von PC-Expert

PC-Expert

Wir über uns

Webshop

→ PCs

→ Notebooks

→ Software

→ Topseller

PC-Konfigurator

Service

Filialen

Kontakt

Unser Service-Team begrüßt unsere neue Auszubildende Karina Wozniak.

Unternehmen

PC-Expert GmbH zählt im Raum Hannover zu den bekanntesten Händlern für Hard- und Software. Unsere Waren sind in unseren drei Filialen, aber auch über unseren Webshop erhältlich. mehr

Versand

Wenn Sie gut informiert sind und genau wissen, was Sie wollen, bestellen Sie einfach über unseren Internetversand. Mit unserem virtuellen PC-Konfigurator können Sie sich Ihren Computer individuell online zusammenstellen. Wir liefern dann per Paketdienst. mehr

Filialen

Wenn Sie beraten werden möchten, können Sie sich an die Fachleute in unseren Geschäften wenden. Unser Verkaufspersonal wird Ihnen, Ihren Wünschen und Bedürfnissen entsprechend, individuell einen Computer empfehlen, den Sie gleich mit nach Hause nehmen können. mehr

Service

Durch die Kombination von Filial- und Versandhandel ist es uns möglich, einen umfassenden Service zu bieten. In jeder Filiale finden Sie eine Serviceabteilung, die z.B. Hardware einbaut, Ihre Daten sichert oder Viren entfernt. Wenn Sie Ihr defektes Gerät mitbringen, können wir Ihnen gleich sagen, ob sich eine Reparatur lohnt und was das kostet. mehr

---

1 Wie versucht PC-Expert möglichst viele Kunden anzusprechen?

Versand   Filialen   *direktes Gespräch mit Fachleuten*   Service   *Hardware einbauen*

2 Würden Sie PC-Expert Ihren Freunden, Bekannten und Verwandten empfehlen?

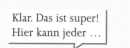

Klar. Das ist super! Hier kann jeder …   *Ich glaube nicht. Ich finde …*

A Kunden beraten und über Waren informieren

21 **A1 | a** Frau Schneider möchte einen Drucker kaufen und lässt sich in einer Filiale von PC-Expert beraten. Hören Sie das Gespräch. Was für einen Drucker empfiehlt der Verkäufer?

Farbdrucker HM TS 2486
Tintenstrahl, Legal, A4, bis zu 7 Seiten/Min.
(s/w) / bis zu 4 Seiten/Min. (Farbe),
Kapazität: 100 Blätter, USB
46,–

Multifunktionsgerät MFTS 2012
(Scanner/Drucker/Kopierer)
Tintenstrahl, Drucken (bis zu): 33 Seiten/Min.
(s/w) / 27 Seiten/Min. (Farbe),
100 Blatt, 14.4 Kbps, USB
76,–

Toner/Patronen
Farbtoner: **189,–** (ca. 1500 Seiten)
Toner black: **45,–** (ca. 1500 Seiten)
Patronen: 3-Color **16,54**;
black **19,71** (ca. 550 Seiten)

Drucker L281
Laser, Legal, A4, 1200 dpi x 1200 dpi,
bis zu 16 Seiten/Min.,
Kapazität: 150 Blätter, USB
49,–

Farbdrucker LF 3344
Laser, bis 16 Seiten/Min.,
bis zu 2.400 x 600 dpi effektive
Ausgabe / 130 Blatt Papiermagazin
(80 g/m²)
85,–

Multifunktionsgerät LMF 2099
(Scanner/Drucker/Kopierer)
Laser, Kopieren (bis zu): 23 Seiten/Min.,
Drucken (bis zu): 23 Seiten/Min.,
250 Blatt, Hi-Speed USB
209,–

21 **b** Hören Sie noch einmal und kreuzen Sie die richtigen Antworten an. AB

1. Frau Schneider braucht den Drucker zum ☒ Drucken ☐ Kopieren ☐ Scannen.
2. Frau Schneider druckt ☒ E-Mails ☒ Briefe ☒ Rezepte ☐ Bücher ☐ Broschüren ☒ Fotos ☐ Grafiken.
3. Frau Schneider druckt pro Monat ca. ☐ 5 ☒ 25 Textseiten und etwa ☒ 5 ☐ 20 ☐ 25 Fotos.
4. Als Vorteile des Farblaserdruckers nennt der Verkäufer ☒ hohe Druckgeschwindigkeit ☒ Farbechtheit
   ☐ niedrige Druckkosten ☐ niedriger Anschaffungspreis ☒ hohe Druckqualität beim Fotodruck.

22 **A2** Ergänzen Sie eine passende Partikel zur Aussageverstärkung. (Es gibt immer mehrere Möglichkeiten.) Hören Sie noch einmal, welche Partikeln der Verkäufer verwendet. AB

Partikeln zur Aussageverstärkung
S. 55

ausgesprochen – bedeutend –
besonders – echt – erheblich – sehr –
total – weit – wirklich – ziemlich

1. Na ja, ein Farblaserdrucker ist schon ein _____ tolles Gerät:
2. Er druckt _____ schneller als ein Tintenstrahler.
3. Das ist auch _____ wichtig, wenn man den Laserdrucker professionell nutzt, …
4. Und wenn Sie einen _____ guten Tintenstrahldrucker möchten, haben wir hier unser Spitzenmodell …

A3 | a Ordnen Sie die Redemittel. AB

~~Ich befürchte, dass das ein wenig zu kurzfristig ist.~~ | … kann ich Ihnen … nur empfehlen. |
… wäre ideal … | Es käme aber auch … infrage, allerdings hätte … den Vorteil / Nachteil, dass … |
(Wie) kann ich Ihnen helfen? | Es tut mir leid, solche Geräte führen wir nicht. |
Kann ich Ihnen behilflich sein? | Nein, das ist zu kurzfristig. | Guten Tag, Sie wünschen? |
Sie könnten auch … nehmen. | Bis … werden wir es leider nicht schaffen.

| *Kontakt aufnehmen* " | *etwas empfehlen* " | *etwas ablehnen* "
Ich befürchte, dass das ein wenig zu kurzfristig ist. |
| " | " | " |

b Rollenspiel: Spielen Sie zu zweit ein ähnliches Beratungsgespräch. Tauschen Sie beim zweiten Gespräch die Rollen. Benutzen Sie Informationen aus der Anzeige von PC-Expert.

Partner A Sie sind Grafiker/in und brauchen sofort einen Drucker. Sie benutzen den Drucker beruflich und benötigen ihn auch, um zu kopieren und Texte einzuscannen. Sie drucken viel aus, nicht nur Texte, sondern auch Probedrucke von Broschüren.

Partner B Sie sind Verkäufer/in bei PC-Expert. Sie informieren den Kunden über Ihr Angebot und beraten ihn. Sie müssen den Drucker bestellen und können nicht sofort liefern.

B eine Anfrage verstehen und ein Angebot erstellen

B1 | a Wann würden Sie ein Angebot bzw. einen Kostenvoranschlag von einer Firma einholen? Haben Sie damit schon Erfahrungen gemacht? Erzählen Sie.

b Lesen Sie den Blogeintrag und das Angebotsschreiben.
Wo im Angebotsschreiben finden Sie die Tipps von Mike? Markieren Sie. **AB**

Angie:

Ich mache gerade eine Vertretung und muss einem Kunden ein schriftliches Angebot machen. Ich habe keine Ahnung, wie das geht. Wer kann mir helfen????

Mike:

Für die Form eines Angebots gibt es keine festen Vorschriften. Du solltest aber darauf achten, dass die Betreffzeile das Datum des Angebots enthält. Im Einleitungssatz dankst du für das Interesse des Kunden. Im Hauptteil solltest du genaue Angaben über die Beschaffenheit, Menge und den Preis (inkl./exkl. MwSt.) der Ware machen. Wichtig ist auch eine Einschränkung des Angebots, z.B. „unverbindliches Angebot" (damit du daran nicht gebunden bist) oder eine Befristung des Angebots. Denke auch an Hinweise zu den Verkaufs- und Lieferbedingungen. Viel Erfolg!!

Angebot vom 30.04.20..:
4 Sommerreifen und 2 Alufelgen

Sehr geehrte Frau Stiller,

wir danken Ihnen für Ihre Anfrage und möchten Ihnen das folgende Angebot unterbreiten:

Position	Stück	Produkt	Typ	Einzelpreis	Gesamtpreis
1	4	Sommerreifen	456	69,66 €	278,64 €
2	2	Alufelgen	987	57,90 €	115,80 €
Summe					**394,44 €**

Bei allen Preisangaben handelt es sich um Netto-Preisangebote, hinzu kommt die gültige gesetzliche Mehrwertsteuer. Die Lieferung ist frei Haus.

Dieses Angebot gilt bis zum 01.08.20..

Mit freundlichen Grüßen

Angela Milke

B2 Lesen Sie den Brief.
Welcher Betreff passt? Ergänzen Sie. **AB**

Angebot | Anfrage | Lieferschein | Rechnung

Betreff: ....

Sehr geehrte Damen und Herren,

für unser Lager benötigen wir eine Regalwand aus vier Regalen (Höhe 2 m, Breite 1 m, Tiefe 30 cm). Die Regalböden sollen mindestens 60 kg tragen. Bitte schicken Sie mir ein unverbindliches Angebot.

Mit freundlichen Grüßen

Tobias Schuster

B3 Schreiben Sie ein Angebot für die Regalwand. Verwenden Sie Informationen aus dem Prospekt. **AB**

Artikel	Beschreibung	Höhe (mm)	Breite (mm)	Tiefe (mm)	Fachlast (kg)	Preis (EUR)
32114	Grundregal, Aluminium, 5 Böden, Kreuzstrebe	2000	1000	300	70	139
32115	Anbauregal, Aluminium, 5 Böden, Kreuzstrebe	2000	1000	300	70	99

C telefonisch reklamieren und auf eine Reklamation reagieren

C1 | a Haben Sie schon einmal eine falsche oder
fehlerhafte Lieferung erhalten?
Was haben Sie dann gemacht? Erzählen Sie.

b Lesen Sie das Gespräch und ergänzen Sie. [AB]

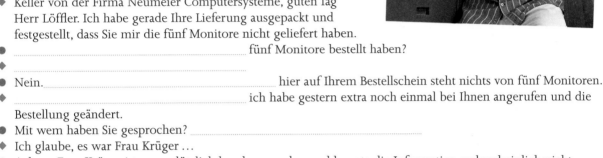

> Ja, das weiß ich ganz genau. | Sind Sie sicher, dass Sie |
> Da ist wohl etwas schiefgegangen. | Ja, das mag sein, aber |
> ich werde das gleich | Das ist so nicht richtig, denn |
> Es tut mir leid, dass

- ● Löffler, guten Tag.
- ◆ Keller von der Firma Neumeier Computersysteme, guten Tag
  Herr Löffler. Ich habe gerade Ihre Lieferung ausgepackt und
  festgestellt, dass Sie mir die fünf Monitore nicht geliefert haben.
- ● _____ fünf Monitore bestellt haben?
- ◆ _____
- ● Nein._____ hier auf Ihrem Bestellschein steht nichts von fünf Monitoren.
- ◆ _____ ich habe gestern extra noch einmal bei Ihnen angerufen und die
  Bestellung geändert.
- ● Mit wem haben Sie gesprochen? _____
- ◆ Ich glaube, es war Frau Krüger …
- ● Ach so, Frau Krüger ist ganz plötzlich krank geworden und konnte die Information wahrscheinlich nicht
  mehr weitergeben. _____ die Monitore nicht mitgeliefert wurden.
  Ich kümmere mich sofort darum. Reicht es, wenn wir sie mit der nächsten Lieferung mitschicken oder
  brauchen Sie sie schnell?
- ◆ Wir brauchen sie sofort.
- ● Gut, _____ veranlassen. Ich melde mich bei Ihnen, sobald ich weiß,
  wann genau die Monitore bei Ihnen eintreffen. Auf Wiederhören, Herr Keller.
- ◆ Auf Wiederhören.

C2 | a Welches Redemittel passt nicht? Streichen Sie es. [AB]

widersprechen „	**Fehler eingestehen** „	**versichern/beteuern** „
Ja, das mag sein, aber …	*Das ist/war mein Fehler.*	*Es ist tatsächlich so (gewesen),*
Ja schon, aber …	*Ja, das habe ich falsch verstanden/*	*dass …*
Sie haben recht. Ich werde sofort …	*notiert.*	*Das weiß ich genau.*
Das stimmt, aber …	*Das ist/war ein Versehen.*	*Ich bin ganz sicher, dass …*
Das ist so nicht richtig, denn …	*Mein Fehler ist das nicht.*	*Das ist nicht meine Schuld.*
Da haben Sie recht, aber …	*Da ist etwas schiefgegangen.*	*Das werde ich gleich …*
Gut, aber …	*(Entschuldigung,) das hatte ich*	
	(nicht) …	
	Es tut mir leid, dass …	
„	„	„

b Rollenspiel: Schreiben Sie zu zweit ein telefonisches Reklamationsgespräch und spielen Sie es.
Verwenden Sie die Redemittel aus C2a. Tauschen Sie die Rollen. [AB]

Partner A Sie brauchen fünf PCs und sieben Drucker. Ein Kollege hat die Geräte bestellt. Es sind aber sieben PCs
und fünf Drucker geliefert worden. Sie rufen bei Ihrem Lieferanten an und beschreiben den Fehler.
Es stellt sich dann aber heraus, das die Lieferung in Ihrer Warenannahme falsch erfasst wurde.

Partner B Sie arbeiten in einem Elektronikgroßhandel. Ein Geschäftskunde ruft an und beschwert sich, dass
ihm die falsche Anzahl an Druckern und PCs geliefert wurde. Sie entschuldigen sich, finden aber den
Lieferschein, aus dem hervorgeht, dass Sie richtig geliefert haben.

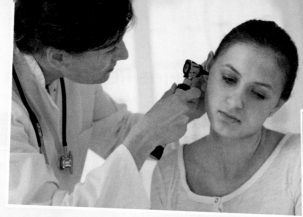

Was vom Geld übrig bleibt

<u>1</u> |a Welche Überschrift passt nicht zum Text? Streichen Sie.

Steuerbelastung von Singles | Steuern und Abgaben in Deutschland |
Belastung durch Steuern und Sozialabgaben im europäischen Vergleich

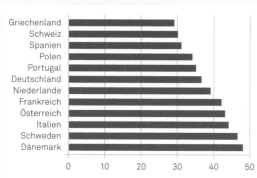

Die wichtigsten Einnahmen des Staates sind Steuern und Sozialabgaben. Die Abzüge vom Gehalt sind im europäischen Vergleich
besonders in den skandinavischen Ländern hoch. Spitzenreiter
ist Dänemark, dort lagen die Abzüge 2009 bei über 48 %.
Deutschland lag mit 37 % im Mittelfeld. Dieser Prozentsatz war in   5
Deutschland in den letzten Jahren relativ stabil, weil die steigen-
den Sozialabgaben durch sinkende Steuern ausgeglichen wurden.
Der Durchschnitt zeigt aber nicht, dass es je nach Haushalt große
Unterschiede gibt. So liegt die Belastung eines Singles bei 41 %,
die Belastung eines Ehepaars mit zwei Kindern bei knapp 21 %.   10

In der Schweiz liegen die Abzüge vom Gehalt bei nur 30 %. Das bedeutet jedoch nicht, dass für den Einzelnen mehr
Geld übrig bleibt: Dort muss für Krankheit und Arbeitslosigkeit privat vorgesorgt werden.

<u>b</u> Kreuzen Sie die richtigen Aussagen an.

☐ Im europäischen Vergleich sind die Abzüge vom Gehalt in Dänemark am höchsten.
☐ In Deutschland sind die Sozialabgaben in den letzten Jahren gestiegen.
☐ Die Abzüge vom Gehalt sind in Deutschland gesunken, obwohl die Sozialabgaben gestiegen sind.
☐ Unverheiratete ohne Kinder werden stärker belastet als Familien.
☐ In Ländern mit niedrigen Abzügen vom Gehalt haben die Menschen mehr Geld zu ihrer freien Verfügung.

<u>2</u> |a Lesen Sie die Informationen über die Abzüge vom Bruttolohn in Deutschland.

Sozialabgaben (Arbeitnehmeranteil)		Bei einem Bruttoein- kommen von 2000 Euro:
1. Rentenversicherung:	9,8 %	196,–
2. Krankenversicherung:	8,2 %	164,–
3. Pflegeversicherung:	1,025 %	20,50
4. Arbeitslosenversicherung:	1,5 %	30,00
(Der Arbeitgeber zahlt in knapp derselben Höhe Beiträge in die Versicherungen ein. Zusätzlich schließt er eine Unfallversicherung für den Arbeitnehmer ab.)	Summe	410,50
Steuern		
5. Lohnsteuer		217,08
6. Solidaritätszuschlag: 5,5 % der Lohnsteuer		11,93
7. Kirchensteuer: je nach Bundesland 8 % oder 9 % der Lohnsteuer		19,53

b Ergänzen Sie die fehlenden Beträge in der Gehaltsabrechnung.

Johann Möhring	Personalnummer	00014567
Lindenstraße 20	Abrechnungsmonat	04. 20..
52058 Aachen	Geburtsdatum	04. 05. 1990
	Eintrittsdatum	01. 10. 2010

ENTGELTBESCHEINIGUNG 04. 20..

WICHTIGES DOKUMENT – BITTE SORGFÄLTIG AUFBEWAHREN
St-KL.: I   KD-FREIB.: 0   KONF.: EV

- -

Gesamtbrutto		2000,–
Gesetzliche Abzüge	Lohnsteuer	
	Kirchensteuer	
	Sol. Zuschlag	
	AN-Beitrag zur KV	
	AN-Beitrag zur RV	
	AN-Beitrag zur PV	
	AN-Beitrag zur AV	
NETTO		1340,96

c Wie viel Geld muss der Arbeitgeber für Johann Möhring monatlich mindestens aufwenden?

3 Was bezahlt welche gesetzliche Versicherung? Ordnen Sie zu.

Krankenversicherung	*Arzt- und Krankenhauskosten*
Rentenversicherung	
Arbeitslosenversicherung	
Pflegeversicherung	
Unfallversicherung	

~~Arzt- und Krankenhauskosten~~ | Altersrente | Arbeitslosengeld | häusliche oder stationäre Pflege |
Medikamente | Berufsunfähigkeitsrente | Pflegehilfsmittel | Kurzarbeitergeld | Mutterschaftshilfe |
Renten an Verletzte | Arbeitsvermittlung | Krankengeld ab der 7. Woche | Rehabilitation

4 | a Wofür gibt der Staat die Steuern aus? Was sind die acht größten Posten im Haushalt der Bundesrepublik Deutschland? Spekulieren Sie und ordnen Sie der Grafik die Bezeichnungen zu.

Bildung und Forschung |
Gesundheit |
Verteidigung |
Arbeit und Soziales |
~~Allgemeine Finanzverwaltung~~ |
Kosten der Staatsschulden |
Familie, Senioren, Frauen und Jugend |
~~Verkehr, Bau, Stadtentwicklung~~

Die Lösung finden Sie auf Seite 88.

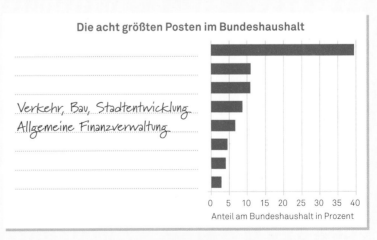

Die acht größten Posten im Bundeshaushalt

Verkehr, Bau, Stadtentwicklung
Allgemeine Finanzverwaltung

Anteil am Bundeshaushalt in Prozent

b Sind Sie überrascht? Wenn Sie Bundeskanzler/in wären, für welche Posten würden Sie das meiste Geld ausgeben? Welche Dinge sollte der Staat unbedingt finanzieren, welche nicht? Warum?

sich am Telefon melden
(Firma), (Familienname), guten Tag.
Was kann ich für Sie tun?

Telefonat beenden
Wie verbleiben wir?
Sie hören von mir, sobald ...
Vielen Dank, dass ... / Vielen Dank für ...
Nichts zu danken. / Gern geschehen.
Auf Wiederhören!

Waren beschreiben
Aus was wird ... gemacht/hergestellt?
In ... ist/sind ...
... besteht aus/enthält ...

etwas empfehlen
Was können Sie mir (als/für ...) empfehlen?
Und was passt am besten zu ...?
Nehmen Sie (für ...) doch ...
... wird häufig gewählt/genommen.
Ich würde Ihnen zu ... raten.
... kann ich Ihnen ... nur/(überhaupt) nicht empfehlen.
Es käme aber auch ... in Frage, allerdings hätte ... den
* Vorteil/Nachteil, dass ...*
... wäre (nicht so) ideal ...
Sie könnten auch ... nehmen.

um Rat bitten
Was kann/könnte man da machen?
Wäre es besser, wenn ...?
Meinen Sie, (dass) ...?
Was meinen Sie?

vorschlagen/einen Rat geben
Wenn Sie wollen, könnten wir ...
Man muss/kann/soll ...
Könnten wir nicht ...?
Ich habe/hätte eine Idee/einen Vorschlag: ...
Warum machen Sie nicht ...?
Am einfachsten wäre es, wenn/... zu ...

absagen und Gründe nennen
Ich kann leider nicht kommen, weil/denn ...
Ich muss leider ... absagen, weil/denn ...
Am/Um ... habe ich leider keine Zeit, weil/denn ...
Am/Um ... kann ich leider nicht, weil/denn ...

Termin verschieben
Am ... hätte ich Zeit.
Lässt/Ließe sich der Termin vielleicht auf ...
* verschieben?*
Könnten wir/Sie den Termin eventuell auf den ...
* verschieben?*
Würde es Ihnen auch am/um ... passen?

einen Vorschlag machen
Wir könnten Folgendes tun: ...
Können wir ...?
Ich schlage vor, dass ...
Könnten wir nicht ...?

Kontakt aufnehmen
(Wie) kann ich Ihnen helfen?
Kann ich Ihnen behilflich sein?
Guten Tag, Sie wünschen?

etwas ablehnen
Ich befürchte, dass das ein wenig zu kurzfristig ist.
Es tut mir leid, solche Geräte führen wir nicht.
Nein, das ist zu kurzfristig.
Bis ... werden wir es leider nicht schaffen.

widersprechen
Ja, das mag sein, aber ...
Ja schon, aber ...
Das stimmt, aber ...
Das stimmt nicht, denn ...
Das ist so nicht richtig, denn ...
Da haben Sie recht, aber ...
Gut, aber ...

Fehler eingestehen
Das ist/war mein Fehler.
Ja, das habe ich falsch verstanden/notiert.
Das ist/war ein Versehen.
Da ist etwas schiefgegangen.
(Entschuldigung,) das hatte ich (nicht) ...
Es tut mir leid, dass ...

versichern/beteuern
Es ist tatsächlich so (gewesen) (, dass ...).
Das weiß ich genau.
Ich bin ganz sicher (, dass ...).
Das ist nicht meine Schuld.

Audio-Training: www.hueber.de/im-beruf/lernen

S. 41 | Adjektivdeklination

Die komplette Übersicht befindet sich auf S. 89.

S. 42 | Finale Konjunktionen

Eine Absicht oder ein Ziel drückt man mit Sätzen mit den Konjunktionen *um* (+ Infinitiv mit *zu*) und *damit* aus.

Sie fragt nach den Preisen, damit sie die Kosten genau **berechnen kann**.
Sie fragt nach den Preisen, um die Kosten genau **berechnen** zu **können**.

Der Infinitivsatz ist nur möglich, wenn das Subjekt im Haupt- und Nebensatz identisch ist.

S. 45 | Konjunktiv II

Ich hätte gern viel mehr Urlaub.	Wünsche
Sie wäre traurig, wenn es keine Süßigkeiten mehr geben würde.	irreale Bedingungen
Ich würde den kleineren Laptop nehmen.	Ratschläge
Könnten Sie mir bitte zeigen, wie das funktioniert?	Bitten

Der Konjunktiv II wird bei *haben*, *sein*, *werden* und den Modalverben aus der Präteritum-Form gebildet. Die Konjunktiv-II-Form erhält einen Umlaut:

Präteritum	konnten		war	
Konjunktiv II	Wir	könnten auf Süßigkeiten verzichten.	Dann	wäre sie traurig.

Bei den meisten anderen Verben verwendet man die Konjunktiv-II-Form von *werden* und den Infinitiv:

Sie würden sich freuen.
Sie würden die Süßigkeiten nicht vermissen.

Die Vergangenheitsform bildet man mit den Präteritum-Formen von *haben* und *sein* + Umlaut:

Wenn sie die U-Bahn genommen hätte, wäre sie nicht zu spät gekommen.

S. 46 | Satzklammer

	2	Ende	
Sie	haben	etwas Wichtiges	vergessen.
Bei der Arbeit	werden	Fehler	gemacht.
Das	kann	man	lernen.
Mit ihr	arbeite	ich am liebsten	zusammen.

Besteht das Verb aus mehreren Teilen, steht im Hauptsatz der konjugierte Teil auf Position 2, die restlichen Teile am Ende.

..., weil sie etwas Wichtiges vergessen haben.
..., dass man das lernen kann.
..., mit der ich am liebsten zusammenarbeite.

Im Nebensatz stehen alle Verbteile am Ende: zuerst der Infinitiv / das Partizip, das konjugierte Verb ganz am Schluss. Trennbare Verben sind dann wieder zusammengesetzt.

S. 49 | Partikeln zur Aussageverstärkung

Dieser Drucker ist	ausgesprochen **zuverlässig**.
	besonders
	sehr
	wirklich

Etwas weniger stark ist:

Dieser Drucker ist	ziemlich **zuverlässig**.

Nur mit Komparativ stehen:

Dieser Drucker ist	bedeutend **besser** als der andere.
	erheblich
	weit

Umgangssprachlich verwendet man:

Dieser Drucker ist	echt **gut**.
	total

Die Partikeln stehen vor dem Adjektiv, das sie verstärken.

Lektion 10

Jannis Passadakis wartet Flugzeuge

Jannis Passadakis ist ausgebildeter Fluggerätemechaniker und arbeitet bei der KDT Maintenance, einem Instandhaltungsbetrieb für Flugzeuge in Hamburg. Er ist einer von mehr als 15 000 Männern in Deutschland, die Flugzeuge und Hubschrauber instand halten – Frauen gibt es nur sehr wenige in diesem Beruf. Bei seiner Arbeit spielen Vorschriften eine ganz wichtige Rolle, denn hier steht die Sicherheit im Vordergrund. Und sein Arbeitstag ist auch vergleichsweise stressfrei. Denn wer Stress hat, macht leichter Fehler.

1 **Um die Sicherheit von Flugzeugen zu gewährleisten, muss man sie regelmäßig prüfen und warten. Wie stellt man die Qualität oder Sicherheit bei anderen Produkten und bei Dienstleistungen sicher? Sprechen Sie.**

> Öffentliche Verkehrsmittel | Service und Speisen in Restaurants | Grünanlagen in der Stadt | Sicherheit im Treppenhaus | …

> Bei einem Bus muss man unbedingt regelmäßig die Technik kontrollieren, zum Beispiel ob die Bremsen in Ordnung sind.

2 **Zufriedene Kunden und motivierte Mitarbeiter spielen bei der Qualitätssicherung eine wichtige Rolle. Wie kann man Zufriedenheit und Motivation steigern? Nennen Sie Beispiele.**

> In einem Hotel gibt es manchmal Fragebögen, die die Gäste ausfüllen sollen. Dadurch merkt man, wie zufrieden die Kunden sind und wo es Probleme gibt.

> Ich denke, dass man ohne gute Teamarbeit nicht erfolgreich arbeiten kann. Darauf sollte auch die Geschäftsleitung unbedingt achten.

A über Entwicklungen in einer Firma sprechen

A1 | a Zu welchen Abschnitten in den Grafiken passen die folgenden Ausdrücke? `AB`

> **+ / −**
> gleich bleiben
> konstant bleiben
> auf demselben Niveau bleiben
> unverändert sein

> **+**
> zunehmen
> übertreffen
> sich verbessern
> steigen um / auf
> ansteigen

> **−**
> abnehmen
> sinken um / auf
> reduzieren
> senken

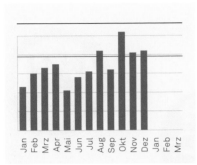 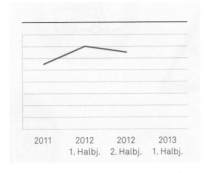 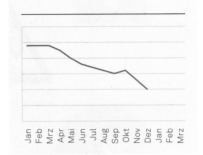

23 b Hören Sie einen Ausschnitt aus einer Präsentation über die Entwicklung der KDT Maintenance. Welche Grafik passt zu welchem Thema? Ordnen Sie die Überschriften zu. `AB`

> Arbeitsunfälle | Dauer der Wartungsarbeiten | Kosten

23 A2 | a Hören Sie die Präsentation noch einmal und machen Sie sich Notizen, um die wesentlichen Informationen weiterzugeben. Tragen Sie die Zusammenfassung Ihrem / Ihrer Lernpartner/in vor. `AB`

Kosten
1. Entwicklung im vergangenen Jahr: *besseres Ergebnis: neue Kunden, mehr Aufträge, Kosten gesenkt*
2. Ziel für das laufende Jahr: ....

Dauer der Wartungsarbeiten
1. Grund: ....
2. Empfehlung: ....
3. Ziel: ....

Arbeitsunfälle
1. Entwicklung im vergangenen Jahr: ....
2. Maßnahmen: ....

b Zeichnen Sie in die Grafiken in A1 ein, wie sich die Firma weiterentwickeln will.

A3 Wie haben sich das Auftragsvolumen und die Zahl der Mitarbeiter bei der KDT Maintenance in den letzten sechs Jahren entwickelt? Sehen Sie die Grafiken an und sprechen Sie. Verwenden Sie die Redemittel aus A1a und die Redemittel rechts. `AB`

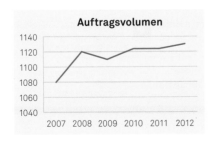 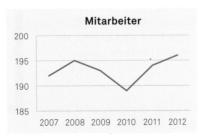

Die Grafik zeigt, dass die Zahl der Mitarbeiter von 2011–2012 von 194 auf 196 gestiegen ist.

> **eine Grafik beschreiben**
> Die Grafik zeigt, dass ...
> Aus der Grafik geht hervor, dass ...
> Wie man sehen kann, ...
> Die Angaben erfolgen in Prozent / Tausend Euro / ...
> Auffällig / Interessant ist, dass ...
> Im Vergleich zu ...
> In den Jahren von ... bis ... hat ... zugenommen.
> Seit ... nehmen ... ab.

B über Unfallgefahren sprechen, eine Unfallmeldung machen

B1 | a Was bedeuten die folgenden Piktogramme?
Was darf, muss, kann man (nicht) tun?
Was soll man beachten? Sprechen Sie.

Modalverben
S. 70

Man **muss** einen Augenschutz und einen Schutzhelm **tragen**.

Man **soll beachten**, dass man sich bei laufendem Motor vergiften kann.

Vergiftungsgefahr
bei laufendem Motor

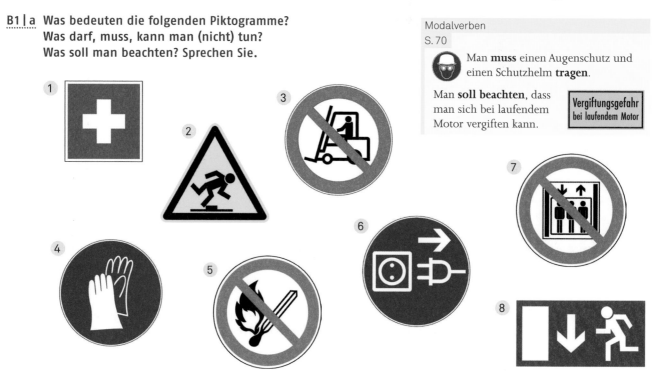

b Arbeiten Sie zu zweit. Kennen Sie noch andere Gebots-, Warn- oder Verbotsschilder?
Zeichnen Sie eines und erklären Sie es Ihrem/Ihrer Lernpartner/in. AB

B2 | a Lesen Sie den Text und sprechen Sie: Wie verhält man sich bei einem Arbeitsunfall?
Was sollte Karl-Heinz Roth als Erstes tun? Welche Informationen muss er am Telefon geben? AB

Karl-Heinz Roth, Lagerarbeiter in einer großen Firma, sieht, wie ein Kollege auf eine Leiter steigt. Die sieht aber wacklig aus, denkt er, will zu seinem Kollegen laufen und die Leiter festhalten, doch da ist die Leiter schon gekippt, der Kollege liegt am Boden und ist bewusstlos. Herr Roth ist wie gelähmt: Was tun? Wie kann er dem Verletzten helfen? Soll er den Unfallort absichern und dann den Betriebssanitäter anrufen oder umgekehrt? Was genau muss er sagen, wenn er in der Sanitätsstation anruft?

24

b Hören Sie nun die Unfallmeldung. Was macht Karl-Heinz Roth richtig? Vergleichen Sie mit den Anweisungen auf der Tafel „Verhalten bei Unfällen" und machen Sie zu jedem Punkt Notizen. AB

Wer meldet? *Zuerst vergessen, Sanitäter muss nachfragen*
Was ist passiert?

c Rollenspiel: Machen Sie zu zweit eine Unfallmeldung. AB

A ist der Zeuge eines Unfalls, B nimmt die Unfallmeldung entgegen und erfragt fehlende Informationen. Denken Sie an die 5 „Ws", wenn Sie anrufen: Wer meldet? Was ist passiert? Wo ist es passiert? Wie viele Verletzte gibt es? Welche Verletzungen liegen vor?

Situation 1 Dem Monteur Jan Peters ist ein Karosserieteil auf den Kopf gefallen. Er ist bei Bewusstsein, klagt aber über starke Kopfschmerzen und Sehstörungen.

Situation 2 In der Autolackiererei hat es einen Schwelbrand gegeben. Die Kollegen Herbert Brach und David Solingen haben starke Atemnot mit Husten und Schweißausbrüche.

Verhalten bei Unfällen
Ruhe bewahren

1. Unfall melden	**Tel. 2121**	Wer meldet? Was ist passiert? Wo ist es passiert? Wie viele Verletzte gibt es? Welche Verletzungen liegen vor?
2. Erste Hilfe		Absicherung des Unfallortes Versorgung der Verletzten Anweisungen beachten
3. Weitere Maßnahmen		Krankenwagen oder Feuerwehr einweisen Schaulustige entfernen

C einen Text über Qualitätsmanagement verstehen

C1 | a Sehen Sie die Fotos an und lesen Sie die Überschrift:
Worum geht es in dem Text wohl?
Lesen Sie dann den Text.
Waren Ihre Vermutungen richtig?

Qualitätsmanagement – unerlässlich für den Erfolg am Markt

Wer ein Produkt kauft oder für eine Dienstleistung bezahlt, erwartet normalerweise Qualität. Der Qualitätsgedanke spielt deshalb in jedem Unternehmen eine wichtige Rolle. Und Qualität betrifft nicht nur das fertige Produkt, sondern muss bereits bei der Planung bedacht werden.

Was genau ist Qualität? Qualität bedeutet, dass ein Produkt alle vom Hersteller geplanten und vom Kunden
5 gewünschten Eigenschaften besitzt. Die Qualität kann dabei hoch oder weniger hoch sein. Kunden, die sich eher am Preis als am Angebot orientieren, sind bereit, schlechtere Qualität in Kauf zu nehmen. Und umgekehrt.

Wie viel Qualität ist notwendig? Ein erfolgreicher Unternehmer wird sich immer wieder fragen, was er tun kann, um besser als die Konkurrenz zu sein: Lassen sich Material, Verarbeitung, Design verbessern? Kann der Kundenservice besser sein? Ist die Kundenorientierung perfekt und das Know-how der Mitarbeiter auf dem neuesten
10 Stand? Erfüllt das Produkt die Kundenwünsche von heute und vielleicht schon von morgen?

Wie kann man das Qualitätsziel erreichen? Von der Entwicklung über die Produktion und den Verkauf bis hin zum Lieferanten müssen sich alle Mitarbeiter um das gemeinsame Qualitätsziel bemühen. Das wichtigste Hilfsmittel ist dabei die internationale Norm ISO 9001. Diese Qualitäts-Norm unterstützt das Unternehmen dabei, die selbst gesteckten Qualitätsziele zu erreichen.

15 Zu den Inhalten der Qualitätsmanagementnorm ISO 9001 gehören: die Standardisierung bestimmter Handlungs- und Arbeitsprozesse, die Erhaltung oder Steigerung von Kundenzufriedenheit, die Motivation der Mitarbeiter, die berufliche Weiterbildung, die Ausstattung und Gestaltung von Arbeits- und Aufenthaltsräumen sowie der Arbeits- und Gesundheitsschutz.

b Lesen Sie den Text noch einmal und kreuzen Sie an: richtig oder falsch?   AB

	r	f
1. Qualität bedeutet, dass ein Produkt aus hochwertigen Materialien hergestellt wird.	☐	☐
2. Als Unternehmer sollte man immer wieder versuchen, das Material, die Verarbeitung und das Design seiner Produkte zu verbessern.	☐	☐
3. Auch die Schulung von Mitarbeitern gehört zum Qualitätsmanagement.	☐	☐
4. Das Qualitätsziel spielt vor allem in der Entwicklung eine wichtige Rolle.	☐	☐
5. Die ISO 9001 ist eine Qualitätsnorm, die weltweit gültig ist.	☐	☐
6. Zu den Inhalten der Qualitätsnorm zählen auch der Arbeits- und Gesundheitsschutz.	☐	☐

C2 Welche Eigenschaften sollte ein qualitativ
hochwertiges Auto besitzen? Sprechen Sie.   AB

> Ein gutes Auto soll nur wenig
> Benzin verbrauchen. Es muss …

Lektion 11
Simion Ivanov bestellt Holz

Simion Ivanov ist Schreinermeister in der Nähe von Dresden und hat sich auf Einrichtungsgegenstände in Einzelanfertigung spezialisiert. Für einen größeren Auftrag braucht er neue Hölzer und hat eine Anfrage an verschiedene Holzfachhändler gerichtet.

1 | a Unternehmen kaufen Waren von anderen Unternehmen. Wer kauft was? Ordnen Sie zu. Manchmal passen die Materialien zu mehreren Unternehmen.

Shampoos | Erde | Blumen | Mehl | Pflanzen | Pinsel | Hölzer |
Föhne | Scheren | Farben | Schaufeln | Sägen | Eimer | …

Schreinerei	
Malergeschäft	
Gärtnerei	
Friseursalon	
Reinigungsfirma	
Bäckerei	

b Wo kaufen die Unternehmen? Sprechen Sie.

Mühle | Baumarkt | Baustoffhändler | Supermarkt |
Hersteller von Holzbearbeitungsmaschinen |
Großhändler | Spezialversandhaus | …

> Das Mehl kauft eine Bäckerei bei einer Mühle oder vielleicht beim Großhändler.

2 Welche Vorteile könnte es haben, wenn ein Unternehmen alles bei einem Händler kauft?

> Man kennt den Lieferanten und weiß …

> Vielleicht bekommt man dann …

A ein Angebot nachverhandeln, eine Bestellung schreiben

A1 Das Angebot von Kross-Holz, seinem langjährigen Lieferanten, erscheint Simion Ivanov gut. Lesen Sie die E-Mail und ergänzen Sie die temporalen Präpositionen. **AB**

> Temporale Präpositionen
> S. 71
> vom – ab – innerhalb von – bis – nach

Sehr geehrter Herr Ivanov,

wir danken Ihnen für Ihre Anfrage _vom_ 02. Mai 20.. und möchten Ihnen gern folgendes Angebot unterbreiten:

10 Möbelbauplatten Buche, Qualität A	*26 x 1650 x 1250 mm*	**je 149,85 €**
10 Möbelbauplatten Eiche, Qualität A	*26 x 1400 x 1250 mm*	**je 153,00 €**
6 Möbelbauplatten Amerikanischer Nussbaum, Qualität A	*26 x 1200 x 1250 mm*	**je 266,50 €**

Die Lieferzeit beträgt ca. 6 Wochen .... Auftragseingang.

Zahlbar .... 30 Tagen .... Rechnungsdatum. Das Angebot ist .... 15. Mai gültig.

Über einen Auftrag von Ihnen würden wir uns sehr freuen.

Mit freundlichen Grüßen

Holzfachhandel Kross-Holz GmbH & Co. KG
Jürgen Hafner

---

25 **A2** Simion Ivanov braucht das Holz sofort. Außerdem will er wegen der Lieferbedingungen nachfragen. Hören Sie das Telefongespräch und machen Sie Notizen zu den folgenden Punkten. **AB**

Verhandlungspunkte	Ivanov	Hafner	Verhandlungsergebnis
Lieferzeit/-datum			
Preis			
Zahlungsbedingungen			
Lieferbedingungen	*ab Lager Freiberg*		

A3 Schreiben Sie nun die Bestellung an Herrn Hafner. Beziehen Sie sich auf das Angebot aus A1 und verwenden Sie die neuen Informationen aus A2. Bitten Sie auch um eine Auftragsbestätigung. Die folgenden Textbausteine helfen Ihnen. **AB**

Schreinerei Ivanov
Dresdner Landstraße 230
01705 Freital

Kross-Holz GmbH & Co. KG
Herrn J. Hafner
Meißner Straße 125
09599 Freiberg

4. Mai 20..

Bestellung

Sehr geehrter Herr Hafner,
im Anschluss an unser Telefongespräch vom 3. 5. ...

> **" eine Bestellung schreiben**
> *Im Anschluss an unser Telefongespräch (heute / vom ...) bestelle ich ...*
> *Als spätesten Liefertermin haben wir ... vereinbart.*
> *Die Lieferung erfolgt ...*
> *Für die Bezahlung innerhalb ... gewähren Sie mir bitte ...*
> *Ich bitte um sofortige Bestätigung meines Auftrags ...* **"**

B über Transportwege und Lieferbedingungen sprechen

B1 | a Transportwege: Ordnen Sie zu.

1 auf dem Landweg | 2 auf dem Seeweg | 3 mit der Bahn |
4 mit einem Kurier- und Expressdienst | 5 mit einer Spedition |
6 auf dem Luftweg | 7 mit einer Reederei | 8 mit der Post

b Welche Ware würden Sie wie transportieren? Warum? AB

Erdöl aus dem Mittleren Osten nach Rotterdam | Kiwis aus Neuseeland nach Düsseldorf |
Porzellan aus den Niederlanden nach Italien | Fisch aus Norwegen nach München |
Computerteile aus Korea nach Stuttgart | Antiquitäten aus Frankreich nach Rostock |
Vertragsentwurf vom Industriegebiet an die Anwaltskanzlei in der Stadtmitte | …

> Das Erdöl aus dem Mittleren Osten würde ich mit einem Tanker auf dem Seeweg nach Rotterdam transportieren, weil …

B2 | a Wer übernimmt die Transportkosten für die Lieferung? Ordnen Sie zu. AB

Die Lieferbedingungen

Mit den Lieferbedingungen wird vereinbart, wer wann welche Lieferkosten zu tragen hat. Wenn im Kaufvertrag nichts vereinbart wurde, gilt die gesetzliche Regelung (unfrei).

Käufer übernimmt die Transportkosten

1. Unfrei
2. Ab Lager / Ab Werk
3. Unfrei ab Bahnhof

Werk/Lager — Ausgangsbahnhof — Zielbahnhof — Zielort

4. Frachtfrei
5. Frei Haus / Frei Lager

Verkäufer übernimmt die Transportkosten

☐ Der Verkäufer bezahlt alle Transportkosten.
☑ Der Käufer muss alle Transportkosten übernehmen.
☐ Der Käufer übernimmt die Kosten vom Zielbahnhof bis zum Zielort, die Kosten bis zum Zielbahnhof trägt der Verkäufer.

☐ Der Käufer übernimmt die Kosten vom Lager bis zum Zielort, die Kosten bis zum Lager trägt der Verkäufer.
☐ Der Käufer trägt die Kosten vom Ausgangsbahnhof bis zum Zielort, die Kosten bis zum Ausgangsbahnhof trägt der Verkäufer.

b Was genau passiert beim Lieferanten, wenn die Ware versendet wird? Bringen Sie die Schritte in die richtige Reihenfolge und beschreiben Sie dann den Ablauf des Versandauftrags. AB

.... Spedition beauftragen
.... Ware versandfertig machen ... 1
.... Lieferschein ausstellen
.... Ware wird von Spedition abgeholt
.... Versandanzeige an Kunden schicken

.... Ware verladen
.... Lieferbarkeit überprüfen
.... fakturieren

als Erstes | dann | danach |
inzwischen | anschließend | zuletzt

> Als Erstes wird überprüft, ob die Ware lieferbar ist. Anschließend …

C den Versand organisieren

26 **C1 | a Hören Sie das Gespräch zwischen zwei Angestellten einer Spedition und machen Sie Notizen zu den folgenden Stichpunkten.**

Problem: *Tour nach Reutlingen früher*

....

Warum funktioniert der erste Lösungsversuch nicht?

....

Lösung:

....

b Korrigieren Sie den Tourenplan. AB

		Do., 16.5.20..		Fr., 17.5.20..	
DD-AB123	Fritz Meier	Dresden	Ulm	Kirchheim/Teck	Meiningen
DD-AB456	Johannes Kühn	Dresden	Frankfurt/M.	Homburg	Chemnitz

27 **C2 Hören Sie das Telefonat zwischen dem Leiter des Außenlagers von Kross-Holz, Hans Meier, und Jürgen Hafner, dem Verkäufer von Kross-Holz. Sind die Aussagen richtig oder falsch? Kreuzen Sie an.** AB

	r	f
1. Weil eine Holzart fehlt, muss die Tour zwei Wochen vorverlegt werden.	☐	☐
2. Die Mitarbeiter im Lager sollen die Holzplatten bis spätestens Donnerstag, 10 Uhr, versandfertig machen.	☐	☐
3. Auf dem Versandplatz ist vor Montagmittag kein Platz mehr frei.	☐	☐
4. Die Lieferung an die Schreinerei Ivanov hat Priorität. Die Mitarbeiter müssen die Lieferung trotz des knappen Platzes bereitstellen.	☐	☐
5. Der Lagerleiter ist einverstanden und Herr Hafner kann dem Kunden die Lieferung bestätigen.	☐	☐

C3 | a Rollenspiel: Schreiben Sie zu viert eine Reihe von Telefongesprächen. Sprechen Sie dann und tauschen Sie die Rollen so, dass jeder einmal Kunde, Lieferant, Lagermitarbeiter und Spediteur ist. AB

① **Kunde ⟶ Lieferant**

Sie bestellen 120 Paletten Ziegelsteine: Lieferung Anfang nächster Woche per Lkw frei Baustelle. Der Lieferant hat nicht genügend Matten auf Lager, will erst am Donnerstag liefern. Ihr Vorschlag: vorrätige Menge am Montag, Rest in einer Woche.

Sie haben die gewünschte Menge nicht mehr vorrätig und können frühestens Donnerstag liefern. Sie akzeptieren den Vorschlag des Kunden: die vorrätige Menge am Montag liefern, den Rest eine Woche später.

② **Lieferant ⟶ Lagermitarbeiter**

Sie rufen im Lager an: Alle vorrätigen Ziegelsteine sollen am Montagmorgen verladen werden. Das Lager hat einen Engpass; Sie akzeptieren den Vorschlag des Lagermitarbeiters.

Engpass bei der Verladung am Montagmorgen, Vorschlag: Ziegelsteine deshalb bereits am Freitagnachmittag verladen.

③ **Lieferant ⟶ Spediteur**

Anruf beim Spediteur: Verladung der Ziegelsteine am Freitagnachmittag, Auslieferung an der Baustelle am Montag. Der Spediteur möchte erst am Mittwoch liefern, das lehnen Sie ab.

Sie möchten lieber am Mittwoch liefern. Der Lieferant akzeptiert das nicht, Sie lenken ein und versprechen zurückzurufen, sobald die Tour geplant ist.

④ **Lieferant ⟶ Kunde**

Sie rufen den Kunden an und bestätigen die Lieferung.

Sie bedanken sich.

b Variieren Sie das Rollenspiel mit anderen Produkten (Seite 60, Aufgabe 1) und Lieferwegen (Seite 62).

Lektion 12
Diêm Nguyen hat sich selbstständig gemacht

Immer mehr Migranten machen sich selbstständig

Gemüsehändler, Änderungsschneider, Pizzabäcker, Dönerköche – Einwanderer machen sich häufiger selbstständig als Deutsche.

Diêm Nguyen hat es geschafft. Vor fünf Jahren hat sie eine Änderungsschneiderei eröffnet. Der Kundenstamm wächst noch immer. „In meiner Heimat habe ich Schneiderin gelernt, aber hier in Deutschland war ich arbeitslos", erzählt die 36-Jährige. „Da kam mir die Idee, mich selbstständig zu machen." Das Geld hat sie sich von Verwandten geliehen. Die haben ihr auch bei der Renovierung des Ladens geholfen. „Am Anfang dachte ich, dass ich den Laden gleich wieder zumachen muss", sagt Diêm Nguyen, „es kamen nämlich in den ersten Monaten nur wenige Kunden." Das hat sich geändert. Jetzt beschäftigt sie sogar eine Angestellte, weil sie es allein nicht mehr schafft.

1   **Lesen Sie den Zeitungsartikel. Haben Sie auch schon einmal überlegt, sich selbstständig zu machen? Haben Sie Bekannte oder Verwandte, die sich selbstständig gemacht haben? Erzählen Sie.**

2   **Worum muss man sich selber kümmern, wenn man sich selbstständig macht oder wenn man selbstständig ist? Sprechen Sie.**

Private Krankenversicherung | Steuervorauszahlung | Altersvorsorge | Geld für die Steuer zurücklegen | Geld für Investitionen sparen | Rechnungen schreiben | Buchhaltung | …

> Wenn man sich selbstständig macht, ist man nicht mehr automatisch krankenversichert. Man muss sich also …

A ein Bankgespräch verstehen

A1 Was macht man auf der Bank? Sammeln Sie. `AB`

Bank

Geld abheben

A2 Was passt? Ordnen Sie zu. `AB`

einen Kredit/Geschäftskredit — ausdrucken
per Bankeinzug/Lastschrift — beantragen
ein Girokonto/Geschäftskonto — durchführen
einen Dauerauftrag — zahlen
einen Kontoauszug — einrichten
eine Überweisung — eröffnen

A3|a Hören Sie drei Gespräche in der Bank. Worum geht es? Ordnen Sie die Gespräche 1–3 den Themen zu. Notieren Sie die Nummern. Ein Thema passt nicht. `AB`

.... Geschäftskonto   .... Dispositionskredit (Überziehungskredit)   .... Girokonto
.... Kontoführungsgebühren   _1_ Geschäftskredit   .... Kontoeröffnung

b Hören Sie noch einmal. Richtig oder falsch? Kreuzen Sie an. `AB`

		r	f
Gespräch 1	Die Änderungsschneiderei läuft im Moment nicht gut.	☐	☐
	Frau Nguyen braucht 5000 Euro.	☐	☐
	Sie erhält keinen Kredit.	☐	☐
Gespräch 2	Frau Cabal hat einen Laden für Kinderkleidung.	☐	☐
	Einige Kunden möchten per Lastschrift zahlen.	☐	☐
	Sie möchte ein Geschäftskonto eröffnen.	☐	☐
Gespräch 3	Herr Bailey muss zum ersten Mal Kontoführungsgebühr zahlen.	☐	☐
	Er bekommt die Gebühr zurückgezahlt.	☐	☐
	Die Gebührenordnung der Bank hat sich geändert.	☐	☐

A4 Ergänzen Sie die Sätze aus den Gesprächen. `AB`

1. Sie _werden_ dann von einem Kollegen _beraten_ . (beraten)
2. Können Sie mir mein Konto so einrichten, dass das Geld von meinen Kunden nach der Bestellung von ihrem Konto _____ ? (einziehen)
3. Mir _____ 9,20 Euro Gebühren _____ . (abziehen)
4. Der Fehler muss _____ _____ . (korrigieren)

> **Passiv**
> S.71
>
> **Die Bank bucht das Geld** von ihrem Konto **ab**.
> **Das Geld wird** von ihrem Konto **abgebucht**.

A5 In welchen Situationen werden die verschiedenen Bankleistungen privat oder geschäftlich genutzt? Und von wem? Wie ist es mit den Kosten? Erzählen Sie. `AB`

Kreditkarte | EC-Karte | Bargeld | Gehalts-/Geschäftskonto |
Online-Banking | Privat-/Geschäftskredit | ...

Größere Einkäufe werden oft mit der EC-Karte bezahlt.

Die Versicherungsbeiträge für mein Auto werden von meinem Gehaltskonto abgebucht.

In meiner Heimat wird fast nur mit Kreditkarte gezahlt, auch kleine Beträge. Jeder hat mehrere Kreditkarten.

B Auskünfte über einen Geschäftskredit einholen

B1 Lesen Sie die Anzeige. An wen richtet sie sich? Was verspricht die Anzeige? `AB`

> **Sparbank**
>
> Ideal für Ihre Finanzierung
> – für Selbstständige und kleinere Unternehmen
> – Mindestkreditsumme 5 000 Euro
> – flexible Laufzeit und Kreditsumme
> – effektiver Jahreszins (Zinsen inkl. Gebühren) ab 6,5 % (laufzeit- und bonitätsabhängig)
> – Absicherung mit Ratenschutzversicherung möglich
> – einfache Abwicklung und schnelle Auszahlung garantiert
>
> Sie müssen nur einen Antrag stellen und die Unterlagen zu Ihrer persönlichen und
> betrieblichen Finanzsituation einreichen.

B2|a Beratungsgespräch in der Bank – Welche Überschrift passt zu welchen Redemitteln? Ordnen Sie zu. `AB`

| **Bitte/Höfliche Aufforderung** | **Möglichkeit ausdrücken** | **Einwilligung** | ~~**Weigerung**~~ | **Unmöglichkeit ausdrücken** |

„
Das kann man machen.
Das lässt sich machen.
Das ist zu machen/machbar.
"

„
Das geht nicht.
Ich sehe keinen Weg / keine Lösung, ... zu ...
Es gibt keine Möglichkeit, ... zu ...
"

„
Ich möchte mich über ... informieren.
Ich habe/hätte eine Bitte (an Sie): ...
Wäre es möglich, dass ...
Ich wollte Sie etwas fragen: ...
Würden Sie (mir) bitte ...?
"

„
Das wäre gut/schön/prima.
Wie Sie meinen/wünschen.
Selbstverständlich.
(Na) gut.
"

„
Weigerung
Nein.
Niemals.
Auf keinen Fall.
"

b Rollenspiel: Arbeiten Sie zu zweit. Schreiben Sie ein Beratungsgespräch über einen Geschäftskredit. Benutzen Sie die Informationen aus der Anzeige (B1), die Redemittel aus B2a und diese Stichpunkte zum Gesprächsverlauf. `AB`

Bankangestellte/r ● Begrüßung
Kunde/Kundin ■ Begrüßung / Geschäftskredit in Höhe von ... für ...?
　● möglich
　■ Kosten?
　● Laufzeit?
　■ ... Jahre
　● Bonität Unternehmen?
　■ guter Umsatz

　● Bonität privat?
　■ schuldenfrei
　● Geschäftskredit möglich; effektiver Jahreszins ca. ...
　■ Was tun?
　● Kreditantrag ausfüllen, Unterlagen zur persönlichen und betrieblichen Finanzsituation einreichen
　■ Formulare nächste Woche zurück!
　●/■ Abschied

c Spielen Sie das Gespräch. Tauschen Sie beim zweiten Mal die Rollen. Sprechen Sie möglichst frei, lesen Sie nicht ab.

● *Guten Tag. Womit kann ich Ihnen helfen?*
■ *Guten Tag. Ich habe einen kleinen Betrieb für Heizung und Sanitär.*
 Den möchte ich vergrößern und brauche dazu einen Kredit in Höhe von 10 000 Euro. ...

C ein Mahnschreiben verfassen

C1 Was war zuerst? Bringen Sie die Schreiben in die richtige Reihenfolge. ☐ AB

☐ *Diêm Nguyen · Breite Straße 47 · 14472 Potsdam*

City-Hotel
Krumme Straße 18
14481 Potsdam   06.10.20..

Lieferschein

Pos.	Artikelbezeichnung	Anzahl
1	Tischdecken	20
2	Vorhänge	40

Ware geliefert:

N. Jung, 7.10.

☐ Hiermit bestellen wir gemäß Ihrem Angebot 20 Tischdecken zum Preis von 798,– Euro netto und 40 Vorhänge zum Preis von 2396,– Euro netto.

☐ **Zahlungserinnerung
zur Rechnung vom 11.10.20..,
Rechnungsnummer: 45/891**

Sehr geehrte Damen und Herren,

auf meine oben genannte Rechnung konnte ich noch keinen Zahlungseingang feststellen. Ich bitte Sie, den offenen Rechnungsbetrag möglichst bald zu überweisen. Eine Kopie der Rechnung schicke ich Ihnen mit. Sollten Sie zwischenzeitlich bereits Zahlung geleistet haben, betrachten Sie dieses Schreiben bitte als gegenstandslos.

Mit freundlichen Grüßen

☐   11.10.20..

Rechnung Nr. 45/891

	Einzelpreis	Gesamtpreis
20 Tischdecken	39,90	798,–
40 Vorhänge	59,90	2396,–

C2 | a Lesen Sie das Mahnschreiben. Warum wurde der Brief geschrieben? ☐ AB

5

Mahnung: Unsere Rechnung vom 06.01.20.. (Rechnungsnummer 654-29)

Sehr geehrte Frau Kind,

am 06.01.20.. haben Sie die von Ihnen bestellte Kinderkleidung erhalten. Trotz meiner Zahlungserinnerung vom 30.01.20.. konnte ich bisher leider keinen Zahlungseingang von Ihnen feststellen. Ich fordere Sie daher nochmals auf, den offenen Rechnungsbetrag bis zum 29.02.20.. auf das angegebene Konto zu überweisen.
Wenn nach Ablauf dieser Frist der Rechnungsbetrag bei mir noch nicht eingegangen ist, sehe ich mich gezwungen, gerichtliche Maßnahmen einzuleiten.

Mit freundlichen Grüßen

C. Cabal
C. Cabal

b Markieren Sie in dem Schreiben alle speziellen Angaben, die nur für dieses Mahnschreiben gelten, und ordnen Sie den Markierungen die folgenden Begriffe zu.

1 Rechnungsnummer | 2 Zahlungsfrist | 3 Adressat | 4 Liefertermin | 5 Rechnungsdatum | 6 Unterschrift | 7 Datum der Zahlungserinnerung | 8 Ware

C3 Schreiben Sie eine Mahnung für Diêm Nguyen und fordern Sie das Geld für die Vorhänge und Tischdecken (C1). Verwenden Sie die Formulierungen aus dem Mahnschreiben von C2 und ersetzen Sie die markierten Angaben. Denken Sie an den Betreff, die Anrede und die Grußformel. ☐ AB

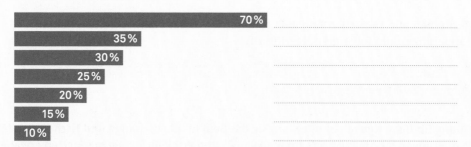

Ärger mit den Kollegen

1   Weswegen kann es mit den Arbeitskollegen
Ärger geben? Sammeln Sie.

nicht eingehaltene Zusagen – ...

2   Sollte man es Kollegen sagen, wenn einem etwas nicht passt? Warum (nicht)?
Wie ist das in Ihrer Heimat? Erzählen Sie.

> Wenn mich etwas wirklich stört, würde ich das sagen.
> Die Kollegin merkt wahrscheinlich sowieso, dass etwas nicht
> stimmt. Und dann ist es besser, man spricht darüber.

3 | a   Was kritisieren Arbeitnehmer in Deutschland am häufigsten an ihren Kollegen? Was meinen Sie?
Diskutieren Sie in der Gruppe und beschriften Sie die Balken.

Unordentlichkeit | Unehrlichkeit | unpassende Kleidung, schlechtes Benehmen | fehlendes Engagement |
nicht eingehaltene Versprechungen | Meinungen, Ansichten | Unpünktlichkeit, Verspätungen

70%	....
35%	....
30%	....
25%	....
20%	....
15%	....
10%	....

b   Schauen Sie auf Seite 88 nach. Hatten Sie recht? Was überrascht Sie? Sprechen Sie.

4 | a Lesen Sie den Text. Welche Überschrift passt zu welchem Absatz?

A Unbewusste Regeln | B Konflikte durch persönliche und kulturelle Unterschiede |
C Unterschiedliche Unternehmenskulturen | D Direkte oder diplomatische Kommunikation

Konflikte sind ganz normal

.... Konflikte sind auch am Arbeitsplatz etwas ganz Normales, denn wir haben mit unseren Kollegen nicht nur Gemeinsamkeiten, sondern es gibt manchmal auch große individuelle Unterschiede. Wir sind unterschiedlich aufgewachsen und jeder hat seine eigenen Erfahrungen gemacht. Wenn man das bedenkt, ist eigentlich klar, dass andere Menschen eine Situation nicht genauso erleben wie man selbst. Die Unterschiede sind noch stärker, wenn die Kollegen aus anderen Kulturen kommen. Solche Unterschiede sind spannend und   5
interessant, sie sind aber auch eine zusätzliche Quelle für Konflikte.

.... So ist es zum Beispiel in verschiedenen Regionen der Erde unterschiedlich, welchen Körperabstand man zum Gesprächspartner einhalten soll. In Mittel- und Nordeuropa ist das etwa ein Meter, in manchen asiatischen Kulturen deutlich mehr, in den arabischen Kulturen deutlich weniger. Wir haben diese Regeln von Kind auf gelernt und halten sie unbewusst ein. Deswegen irritiert es uns sehr, wenn jemand zu großen   10
Abstand hält oder wenn er zu dicht an uns herankommt. Ist der Abstand zu groß, könnten wir denken, dass sich der Gesprächspartner distanzieren will oder dass er uns nicht mag. Einen zu geringen Abstand empfinden wir vielleicht als aufdringlich, was besonders bei Gesprächen zwischen Frauen und Männern sehr problematisch werden kann. Ein Verstoß gegen solche unbewussten Regeln kann also starke Gefühle auslösen, und es ist sehr schwer, einen solchen Verstoß nicht negativ zu bewerten.   15

.... Kulturell unterschiedlich ist ebenfalls, wie direkt oder wie diplomatisch man über bestimmte Themen spricht. Auch der Umgang mit Vorgesetzten ist kulturell verschieden, in manchen Kulturen verhalten sich Vorgesetzte eher partnerschaftlich, in anderen eher autoritär. So kann es vorkommen, dass die neue Angestellte wegen der freundlichen Art ihrer Chefin nicht erkennt, dass ihr eine Arbeitsanweisung gegeben worden ist, die sie befolgen muss. Für jemanden aus einer asiatischen Kultur kann es am Anfang sehr schwer sein,   20
direkt nachzufragen, wenn etwas nicht klar ist. Fragt er nicht, glaubt der Chef, dass alles klar ist – viel Stoff für Konflikte.

.... Aber nicht nur kulturell, sondern auch je nach Unternehmen oder Branche gibt es unterschiedliche Verhaltensregeln. In einer Kita ist der Umgangston sicherlich lockerer als in einer Rechtsanwaltspraxis, deren Mitarbeiter stets seriös wirken müssen. Wenn man von der einen in die andere Branche wechselt,   25
muss man deshalb auch eine neue Unternehmenskultur erlernen. Kommt es dann zu einem Konflikt, muss man prüfen, ob der Streit nicht vielleicht durch ein Verhalten entstanden ist, das in dem neuen Unternehmen nicht üblich ist. Wenn man dann eine solche Ursache erkannt hat, ist ein Konflikt meist sehr schnell gelöst und vielleicht sogar Thema für ein interessantes Gespräch.

b Wo steht das im Text?

Zeile

1. Die Unterschiede zwischen den Menschen sind größer, wenn sie aus unterschiedlichen Kulturen kommen.   5/6

2. Ein Beispiel für unbewusste kulturelle Normen ist die Direktheit der Kommunikation.   ....

3. Konflikte sind normal, weil die Kollegen neben allen Gemeinsamkeiten verschiedene Dinge erlebt haben und sich deshalb unterschiedlich verhalten.   ....

4. Ein Beispiel für eine von Kind an gelernte und eingehaltene Regel ist der Abstand zwischen Gesprächspartnern.   ....

5. Konflikte können auch durch unterschiedliche Verhaltensweisen in den Branchen entstehen.   ....

6. Verstöße gegen unbewusste kulturelle Normen werden meistens negativ bewertet.   ....

7. Ein Verstoß gegen eine Regel, die man von Kindheit an lernt und einübt, irritiert sehr stark.   ....

5 Haben Sie Erfahrungen mit persönlichen bzw. mit kulturellen Unterschieden und mit verschiedenen Unternehmenskulturen gemacht? Erzählen Sie.

gleichbleibende Entwicklungen beschreiben
gleich bleiben
konstant bleiben
auf demselben Niveau bleiben
unverändert sein

zunehmende Entwicklungen beschreiben
zunehmen
übertreffen
sich verbessern
steigen um / auf
ansteigen

abnehmende Entwicklungen beschreiben
abnehmen
sinken um / auf
reduzieren
senken

eine Grafik beschreiben
Die Grafik zeigt, dass ...
Aus der Grafik geht hervor, dass ...
Wie man sehen kann, ...
Die Angaben erfolgen in Prozent / Tausend Euro / ...
Auffällig / Interessant ist, dass ...
Im Vergleich zu ...
In den Jahren von ... bis ... hat ... zugenommen.
Seit ... nehmen ... ab.

eine Bestellung schreiben
Im Anschluss an unser Telefongespräch (heute /
   vom ...) bestelle ich ...
Als spätesten Liefertermin haben wir ... vereinbart.

Die Lieferung erfolgt ...
Für die Bezahlung innerhalb ... gewähren Sie
   mir bitte ...
Ich bitte um sofortige Bestätigung meines
   Auftrags ...

Einwilligung
Das kann man machen.
Das lässt sich machen.
Das ist zu machen / machbar.

Unmöglichkeit ausdrücken
Das geht nicht.
Ich sehe keinen Weg / keine Lösung, ...
Es gibt keine Möglichkeit, ...

Bitte / höfliche Aufforderung
Ich möchte mich über ... informieren.
Ich habe / hätte eine Bitte (an Sie): ...
Wäre es möglich, dass ...
Ich wollte Sie etwas fragen: ...
Würden Sie (mir) bitte ...?

Möglichkeit ausdrücken
Das wäre gut / schön / prima.
Wie Sie meinen / wünschen.
Selbstverständlich.
(Na) gut.

Weigerung
Nein.
Niemals.
Auf keinen Fall.

Audio-Training: www.hueber.de/im-beruf/lernen

S. 58 | Modalverben

können	Wir konnten die Zahl der Arbeitsunfälle senken.	Fähigkeit
	In der Kantine kann man zwischen drei Gerichten wählen.	Möglichkeit
	Er kann (nicht) mit der Arbeit beginnen, wann es ihm passt.	Erlaubnis (Verbot)
	Können Sie mir bitte kurz helfen?	Bitte
	Wir könnten zusammen in die Kantine gehen.	Vorschlag [Konj. II]

dürfen	Diesen Parkplatz dürfen Mitarbeiter (nicht) benutzen.	Erlaubnis (Verbot)
	Darf/Dürfte ich Sie um Ihre Hilfe bitten?	Bitte
	Darf ich Ihnen etwas zu trinken anbieten?	Vorschlag
müssen	Hier muss man einen Schutzhelm tragen. Die Firma muss einige neue PCs anschaffen. Wir müssen die Zahl der Unfälle reduzieren.	Notwendigkeit
	Ich müsste mal wieder einen Erste-Hilfe-Kurs machen.	(abgeschwächt) [Konj. II]
sollen	Er soll den Sanitäter anrufen.	Erwartung/Auftrag
	Du solltest mal wieder einen Erste-Hilfe-Kurs machen.	Rat/Vorschlag [Konj. II]
	Hier soll ein neues Industriegebiet entstehen.	Plan
wollen	Wir wollen die Kosten auf dem Dezember-Niveau halten.	Plan/Absicht

S. 61 | Temporale Präpositionen

Zeitpunkt

an + D	am Nachmittag; am nächsten Montag
gegen + A	gegen 17 Uhr; gegen Abend
in + D	im August; im letzten Jahr
nach + D	nach der Mittagspause
um + A	um 14.30 Uhr
vor + D	vor der Sitzung

Zeitdauer

ab + D	ab Montag; ab nächster Woche
außerhalb + G	außerhalb der Sprechstunden
bis + A	bis nächste Woche
bis zu + D	bis zur nächsten Woche
innerhalb + G/ von + D	innerhalb eines Monats; innerhalb von 14 Tagen
seit + D	seit dem Abschluss seiner Ausbildung; seit zwei Jahren
über + A	übers Wochenende
von + D ... bis zu + D	vom 1. bis zum 21. März
während + G	während der Arbeitszeit
zwischen + D	zwischen dem Feiertag und dem Wochenende

S. 65 | Passiv

Aktiv	Die Bank **bucht** das Geld von ihrem Konto **ab**.
Passiv	*Das Geld* **wird** von ihrem Konto **abgebucht**. *Das Geld* **wird** von der Bank von ihrem Konto **abgebucht**.

Im Passiv ist das Verb zweiteilig: die konjugierte Form von *werden* und das Partizip II. Es bildet wie alle zweiteiligen Verben eine Satzklammer.

Das Akkusativ-Objekt des Aktivsatzes wird zum Subjekt des Passivsatzes. Das Subjekt des Aktiv-Satzes entfällt oder wird zum Präpositional-Objekt mit *von*.

Passiv mit Modalverb:

Die Rechnung musste sofort bezahlt werden.

Passiv im Nebensatz:

..., weil das Geld abgebucht wird.
..., weil die Rechnung sofort bezahlt werden musste.

Zeitformen im Passiv:

Präsens	ich	werde	informiert
Präteritum	ich	wurde	informiert
Perfekt	ich	bin	informiert worden
Plusquamperfekt	ich	war	informiert worden

Luca Varani arbeitet seit einigen Jahren als Koch im Restaurant Da Francesco in München. Vor Kurzem wurde ein neuer Kellner, Vicenzo Guilletto, im Da Francesco angestellt. Anfangs verstanden sich Luca und Vicenzo ganz gut, in letzter Zeit kommt es aber immer wieder zu Missverständnissen und kleinen Streitigkeiten, weil die Kommunikation zwischen Küche und Service nicht immer klappt. Jetzt ist das Maß voll: Ein Gast hat die Gemüse-Spaghetti ohne Tomatensoße bestellt (in der Speisekarte werden sie mit Tomatensoße angeboten). Vicenzo hat die Bestellung an Luca weitergegeben, ohne den Änderungswunsch auf dem Bestellzettel zu notieren. Als er die Restaurantküche verlassen will, fällt es ihm wieder ein und er ruft Luca zu, dass der Gast keine Tomatensoße haben möchte. Luca, der im Stress ist, hört nur mit halbem Ohr zu und hat es nach einer Sekunde wieder vergessen. Eine Stunde später bringt Vicenzo das Pasta-Gericht zurück.

Luca knallt den Teller in die Spüle: „Mann, Vicenzo … warum sagst du nicht, was die Gäste wirklich wollen!" Vicenzo wehrt sich empört: „Ich hab's dir gesagt und du hast genickt."

Dem Koch platzt der Kragen und er brüllt: „Mann! Wir kommen nicht nach … Die Gäste warten ewig auf ihr Essen. Und du kannst nicht einmal eine Bestellung richtig aufschreiben!!!"

1 Wie finden Sie die Reaktion von Luca Varani und Vicenzo Guiletto?

> Ich verstehe Luca. Er ist wirklich im Stress und Vicenzo …

2 Was würden Sie den beiden empfehlen, um solche Konflikte zu vermeiden?

3 Kennen Sie solche Konfliktsituationen mit Kolleginnen und Kollegen? Erzählen Sie.

> Vor einiger Zeit habe ich erlebt, wie ein Kollege …

> Zwei Kolleginnen haben lange Zeit fast gar nicht mehr miteinander gesprochen …

> Ein Kollege hat einmal …

A Konfliktstrategien verstehen

A1 Lesen Sie die Tipps. Welche sind die wichtigsten? Warum? Diskutieren Sie zu zweit und einigen Sie sich auf die fünf wichtigsten Tipps. Präsentieren Sie Ihr Ergebnis. **AB**

Worauf sollte man achten, wenn man einen Kollegen kritisiert?

.... Sprechen Sie in einem ruhigen Ton.

.... Unterstellen Sie nichts, sondern beschreiben Sie das störende Verhalten sachlich.

.... Bewerten Sie das störende Verhalten nicht.

.... Drohen Sie nicht („Wenn Sie noch einmal …, dann …!").

.... Fragen Sie nach den Gründen für das störende Verhalten.

.... Sagen Sie, wie das Verhalten auf Sie wirkt und welche Konsequenzen es für Sie hat.

.... Warten Sie ab, ob Ihr Gesprächspartner von sich aus einen Vorschlag zur Lösung des Problems macht.

.... Warten Sie einen guten Zeitpunkt ab und sprechen Sie mit der Person unter vier Augen.

A2 Lesen Sie den Comic. Was machen Hans Heftig und Paul Spät falsch? Sprechen Sie.

A3 | a Lesen Sie eine zweite Version des Gesprächs zwischen Hans Heftig und Paul Spät. Wie verhält sich Hans Heftig im Comic, wie in diesem Gespräch? Ordnen Sie zu.

Hans Heftig: Gestern sind Sie zu spät gekommen. Das ist in letzter Zeit häufiger passiert. Wissen Sie, es wäre besser, wenn wir alle pünktlich wären, denn wir arbeiten ja alle zusammen, und wenn einer fehlt, müssen die anderen die Arbeit mitmachen …

Paul Spät: Ja, das stimmt … Es tut mir leid, dass ich in den letzten Tagen manchmal zu spät war. Meine Frau ist krank geworden und ich muss die Kinder zur Schule bringen.

Hans Heftig: Ach, das wusste ich ja gar nicht. Ich hoffe, es ist nichts Schlimmes!

Paul Spät: Nein, nein, nur eine schwere Grippe. … Na ja, ich habe noch nicht die richtige Routine. Meine Frau kümmert sich morgens sonst immer um die Kinder. Darum war ich in letzter Zeit häufiger zu spät.

Hans Heftig: Ach so …

Paul Spät: Ja, tut mir leid. Ich versuche ab jetzt, pünktlich zu sein. Ich werde früher aufstehen.

~~gereizt~~ | sachlich | ruhig | aggressiv | wohlwollend | freundlich | einfühlsam | kollegial | unfair | aufgebracht | wütend | feindselig | überlegt | laut

Comic	*gereizt*
Zweite Version	

b Was meinen Sie: Was ist die Konsequenz aus dem zweiten Gespräch? Wie ernst kann man Paul Späts Versprechen nehmen? Diskutieren Sie. **AB**

A4 Rollenspiel: Arbeiten Sie zu zweit. Wie würde ein klärendes Gespräch zwischen Luca Varani und Vicenzo Guiletto verlaufen? Schreiben Sie ein solches Gespräch, üben Sie es ein und spielen Sie es.

B Konfliktgespräche verstehen

B1 | a Sehen Sie die Fotos an. Was ist hier los? Was meinen Sie? AB

> Auf dem linken Bild sieht man zwei Frauen, die …

> Der Mann auf dem rechten Foto hat vielleicht …

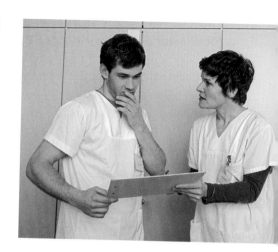

31/32 .... **b** Hören Sie zwei Gespräche und machen Sie Notizen zu den folgenden Fragen:
Was ist das Thema des Gesprächs? Welches verläuft positiv und welches negativ? Warum?

	Thema	+	–	Warum?
Gespräch 1:	*Wichtiger Kunde musste warten*	☐	☐	
Gespräch 2:		☐	☐	

31/32 **B2 | a** Hören Sie die Gespräche noch einmal. In welchen Gesprächen werden diese Sätze gesagt? AB

	Gespräch 1	Gespräch 2
1. Das tut mir wirklich schrecklich leid.	☐	☐
2. Das ist doch die Höhe!	☐	☐
3. Ich bitte vielmals um Entschuldigung.	☐	☐
4. Ich schlage vor, dass …	☐	☐
5. Ja, das stimmt, aber …	☐	☐
6. Also, das geht zu weit.	☐	☐

31/32 .... **b** Lesen Sie die Ausschnitte aus den Gesprächen.
Was passt? Ergänzen Sie *wohl, doch, ja, mal, aber, denn, wirklich.*
Hören Sie dann noch einmal und vergleichen Sie. AB

> Modalpartikeln
> S. 87
>
> wohl – doch – ja – mal – aber – denn

 Haben Sie _____ dem Chef nicht Bescheid gegeben? Sie lassen Herrn Noris im Vorraum sitzen, weil Sie Mittagspause haben? Das ist _____ die Höhe!

 Jetzt halten Sie _____ die Luft an. Ich habe es _____ versucht.

 _____ Herr Greiner, schauen Sie! Hier steht es _____!

 Das habe ich _____ überlesen. Also, das tut mir _____ schrecklich leid.

B3 .... Ordnen Sie die folgenden Redemittel und die Redemittel aus Aufgabe B2a.

> Das ist/war mein Fehler. | So eine Unverschämtheit! | Verzeihen Sie, das hatte ich falsch verstanden. |
> Vielleicht können wir uns so einigen, dass … | Es war eigentlich nicht so gemeint. | Wie wäre es, wenn …

> *seinen Ärger ausdrücken* "
> „

> *sich entschuldigen* "
> „

> *einen Fehler einräumen* "
> „

> *Lösungsideen sammeln – vorschlagen* "
> „

C in Konfliktsituationen reagieren

C1 | a Sie bekommen von Ihrer Kollegin eine E-Mail. Lesen Sie die drei Varianten. Worin unterscheiden sie sich? Welche provoziert vielleicht eine negative Reaktion?　AB

Liebe Daniela,

mein Sohn ist krank geworden und ich muss gleich mit ihm zum Arzt. Heute kommt ja der Kunde aus England. Kannst Du bitte schnell den Besprechungsraum aufräumen, die Unterlagen (auf meinem Schreibtisch) kopieren, in die Mappen legen und die Mappen dann verteilen? Das habe ich gestern nicht mehr geschafft, ich wollte es gleich heute früh machen. Kannst Du bitte auch prüfen, ob der Kaffee, die Kekse und das Obst da sind?

Danke und bis morgen hoffentlich
Monika

Liebe Daniela,

das ist wirklich blöd, dass mein Sohn krank ist und ich mit ihm zum Arzt muss. Du weißt ja, dass der Kunde aus England heute kommt. Im Prinzip ist alles vorbereitet. Nur die Mappen liegen noch auf meinem Schreibtisch. Kannst Du die bitte runterbringen? Und kontrollier bitte noch einmal, ob alles in Ordnung ist und ob auch der Kaffee, die Kekse und das Obst bereitstehen.

Danke und bis morgen hoffentlich
Monika

Liebe Daniela,

das ist mir jetzt wirklich peinlich, dass ausgerechnet heute mein Sohn krank ist und ich mit ihm zum Arzt muss. Wenn es nichts Schlimmes ist, kann ich ihn anschließend bei meiner Mutter lassen und komme so schnell wie möglich ins Büro. Aber du weißt ja, dass der Kunde aus England heute kommt. Es ist alles vorbereitet. Nur die Mappen liegen noch auf meinem Schreibtisch. Könntest Du die bitte runterbringen? Würdest Du bitte auch noch einmal schauen, ob alles in Ordnung ist und ob auch der Kaffee, die Kekse und das Obst bereitstehen, falls ich um 11 Uhr noch nicht da bin?

Danke und bis später wahrscheinlich
Monika

b Beantworten Sie für Daniela die erste und die letzte E-Mail. Wie drücken Sie aus, dass Sie verärgert sind? Wie formulieren Sie eine neutrale Antwort? Wie drücken Sie aus, dass Sie der Kollegin gern helfen? Arbeiten Sie dann zu zweit: Vergleichen Sie Ihre Antworten und sprechen Sie über die Unterschiede.　AB

c Überlegen Sie sich, was Sie zu Ihrer Kollegin sagen würden, wenn sie wieder ins Büro kommt.

C2 | a Rollenspiel: Arbeiten Sie zu zweit. Wählen Sie eine Situation aus, machen Sie sich Notizen und spielen Sie das Gespräch. Tauschen Sie die Rollen. Verwenden Sie die Redemittel aus B3.　AB

Situation 1 Zwei Kolleginnen/Kollegen arbeiten im selben Büro. Die/Der eine telefoniert oft und recht laut privat. Das stört die/den anderen. Er/Sie weiß nicht, dass die Kollegin / der Kollege zu Hause eine kranke und pflegebedürftige Schwiegermutter hat.

Situation 2 Die neue Kollegin / Der neue Kollege ist sehr direkt, fordernd und unverblümt. Das stört die andere Kollegin / den anderen Kollegen. Sie/Er weiß nicht, dass der/die Neue aus einer Branche kommt, in der ein solcher Ton ganz normal ist.

b Denken Sie sich selbst eine Konfliktsituation aus und spielen Sie sie.

Betriebsratswahl – Vorstellung der Kandidaten

Dana Scott

Wer ich bin ...
28 Jahre
Krankenpflegerin
seit drei Jahren im St.-Joseph-Krankenhaus
verheiratet, 1 Tochter

Was ich bewegen will ...
Durch immer neue Sparmaßnahmen gibt es im St.-Joseph-Krankenhaus immer weniger Personal, das immer mehr arbeiten muss. Wir sind chronisch überlastet. Immer mehr Kolleginnen und Kollegen sind immer häufiger krank.

Ich möchte mich dafür einsetzen, dass sich unsere Arbeitsbedingungen verbessern:
– keine weiteren Personaleinsparungen
– arbeitnehmerfreundlichere Pausenregelungen
– flexiblere Möglichkeiten des Zeitausgleichs für Überstunden
– keine Verpflichtung zur Nachtschicht für Mütter mit kleinen Kindern

Warum ich in den Betriebsrat will ...
Man soll nicht nur auf Solidarität hoffen, sondern auch selbst etwas tun.

1 **Lesen Sie die Bewerbung für die Betriebsratswahl. Würden Sie Dana Scott wählen? Warum (nicht)? Sprechen Sie.**

2 |a **Welche Probleme kann es bei der Arbeit geben? Sammeln Sie.**

> angeordnete Überstunden | Pausenzeiten | Kündigung | Urlaubsplanung | Arbeitszeiten |
> Versetzung innerhalb des Unternehmens | Arbeitsunfälle | Entlassung | Krankheit | ...

b **Bei welchen Problemen könnte ein Betriebsrat vermitteln? Sprechen Sie.**

3 **Wer setzt sich in Ihrem Herkunftsland für die Rechte der Arbeitnehmerinnen und Arbeitnehmer ein? Gibt es auch eine Arbeitnehmervertretung? Welche Aufgaben und Rechte hat sie? Erzählen Sie.**

A Urlaubs- und Überstundenregelungen verstehen

A1 Welche Aufgaben hat die Personalabteilung? Sammeln Sie.

33 **A2|a** Herr Schmitz hat einen Termin bei der Personalabteilung. Hören Sie den ersten Teil des Gesprächs. Welche Fragen könnte er stellen? Sammeln Sie zu zweit.

34 ⠀⠀**b** Hören Sie den zweiten Teil des Gesprächs. Vergleichen Sie. Zu welchen Themen stellt Herr Schmitz Fragen? Kreuzen Sie an.

- ☐ Urlaubsanspruch
- ☐ Urlaubsantrag
- ☐ Regelung bei Konflikten
- ☐ Mitnahme des Urlaubsanspruchs ins darauffolgende Jahr
- ☐ Urlaubsgeld
- ☐ zusammenhängender Urlaub
- ☐ Überstunden

34 ⠀⠀**c** Hören Sie noch einmal. Welche Antworten gibt Frau Pohl? Kreuzen Sie an. AB

- ☐ Der jährliche Urlaubsanspruch von Herrn Schmitz beträgt 30 Tage.
- ☐ Im ersten halben Jahr darf man nur 12 Urlaubstage nehmen.
- ☐ Der Antrag auf Erholungsurlaub muss von zwei weiteren Personen unterschrieben werden.
- ☐ Herr Schmitz muss sich mit seiner Vertretung abstimmen.
- ☐ Erholungsurlaub sollte immer mindestens zwei Wochen am Stück genommen werden.
- ☐ In den Schulferien bekommt im Konfliktfall die Person Urlaub, die Schulkinder hat.
- ☐ Überstunden werden ausgezahlt oder abgebaut.

A3|a Lesen Sie den Text und kreuzen Sie die richtigen Aussagen an.

- ☐ Man hat normalerweise einen Anspruch auf Freizeitausgleich der Überstunden.
- ☐ Der Arbeitnehmer kann allein bestimmen, wann und wie er Überstunden ausgleicht.
- ☐ Man hat keinen Rechtsanspruch auf den finanziellen Ausgleich von Überstunden.
- ☐ Für das Verfallen von Überstunden gelten grundsätzlich die gesetzlichen Regelungen.
- ☐ Urlaub muss nach den gesetzlichen Regelungen bis zum Ende des ersten Quartals des Folgejahres genommen sein.
- ☐ Bevor der Urlaub verfällt, sollte man mit dem Chef sprechen, um eine Lösung für das Problem zu finden.

Urlaub und Überstunden – Worauf man achten muss

Wenn im Arbeitsvertrag nichts anderes vereinbart ist, darf man seine Überstunden abbauen – „Freizeitausgleich" heißt das im Juristendeutsch. Allerdings: Wann man den Freizeitausgleich nimmt, kann man nicht in jedem Unternehmen alleine entscheiden, denn das kann auch der Chef bestimmen. Man kann sich die Überstunden auch auszahlen lassen, darauf hat man jedoch keinen Rechtsanspruch.

Überstunden sind aber nicht unbegrenzt „haltbar". Nach den gesetzlichen Verjährungsfristen verfallen sie nach drei Jahren. Das gilt aber nur dann, wenn vertraglich nichts anderes vereinbart ist. Man muss sich also erkundigen, welche Regelung im Betrieb gilt.

Urlaubsanspruch verfällt viel schneller als Überstunden. Bereits am 1. April sind nach den gesetzlichen Regelungen alle Urlaubstage des Vorjahres gestrichen. In manchen Unternehmen muss der Urlaub sogar bis zum Jahresende genommen werden. Wer seinen Urlaub nicht rechtzeitig nimmt, muss mit dem Arbeitgeber verhandeln, damit der Anspruch ausgezahlt wird oder der Resturlaub ausnahmsweise später angetreten werden kann.

⠀⠀**b** Lesen Sie die Situationen. Welche Probleme gibt es? Was würden Sie tun? Sprechen Sie in der Gruppe. (In Ihrem Betrieb gelten die gesetzlichen Regelungen.) AB

1. Es ist Februar und Sie haben noch 10 Tage Urlaub, aber auch 60 Überstunden. In den Osterferien vom 25. März bis zum 5. April wäre für Sie eine gute Möglichkeit freizunehmen, dann haben auch Ihre Kinder Ferien.
2. Sie haben 40 Überstunden, die Sie an den Faschingstagen im Februar abfeiern möchten. Mitte Dezember sagt Ihnen Ihr Chef, dass Sie den Freizeitausgleich in der ersten Januar-Woche nehmen müssen.
3. Sie brauchen ganz dringend drei Tage Urlaub, haben aber keinen Urlaub mehr und auch keine Überstunden.

B eine Bekanntmachung verstehen und schreiben

B1 | a Überfliegen Sie die Texte am Schwarzen Brett. Welche Überschrift passt zu welchem Text? Ordnen Sie zu.

Informationen der Geschäftsleitung: Erwischt! | Betriebsratssprechstunde |
Aktuelle Krankmeldungen | Unser Jubilar

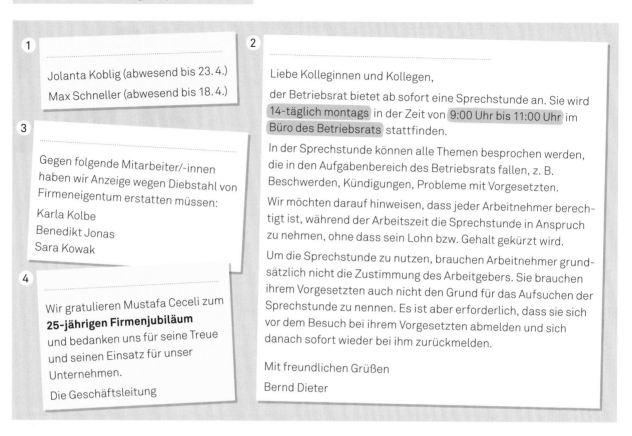

1

Jolanta Koblig (abwesend bis 23. 4.)

Max Schneller (abwesend bis 18. 4.)

3

Gegen folgende Mitarbeiter/-innen haben wir Anzeige wegen Diebstahl von Firmeneigentum erstatten müssen:

Karla Kolbe

Benedikt Jonas

Sara Kowak

4

Wir gratulieren Mustafa Ceceli zum
25-jährigen Firmenjubiläum
und bedanken uns für seine Treue und seinen Einsatz für unser Unternehmen.

Die Geschäftsleitung

2

Liebe Kolleginnen und Kollegen,

der Betriebsrat bietet ab sofort eine Sprechstunde an. Sie wird 14-täglich montags in der Zeit von 9:00 Uhr bis 11:00 Uhr im Büro des Betriebsrats stattfinden.

In der Sprechstunde können alle Themen besprochen werden, die in den Aufgabenbereich des Betriebsrats fallen, z. B. Beschwerden, Kündigungen, Probleme mit Vorgesetzten.

Wir möchten darauf hinweisen, dass jeder Arbeitnehmer berechtigt ist, während der Arbeitszeit die Sprechstunde in Anspruch zu nehmen, ohne dass sein Lohn bzw. Gehalt gekürzt wird.

Um die Sprechstunde zu nutzen, brauchen Arbeitnehmer grundsätzlich nicht die Zustimmung des Arbeitgebers. Sie brauchen ihrem Vorgesetzten auch nicht den Grund für das Aufsuchen der Sprechstunde zu nennen. Es ist aber erforderlich, dass sie sich vor dem Besuch bei ihrem Vorgesetzten abmelden und sich danach sofort wieder bei ihm zurückmelden.

Mit freundlichen Grüßen

Bernd Dieter

b Welche Mitteilungen dürfen Ihrer Meinung nach nicht am Schwarzen Brett hängen? Warum nicht? **AB**

B2 | a Lesen Sie die Mitteilung des Betriebsrats. Welche Fragen werden beantwortet? Kreuzen Sie an.

- ☒ Wann und wo findet die Sprechstunde statt?
- ☐ Wie viele Betriebsratsmitglieder führen die Sprechstunde durch?
- ☐ Aus welchem Grund kann man die Sprechstunde besuchen?
- ☐ Muss man Gewerkschaftsmitglied sein, um die Sprechstunde nutzen zu können?
- ☐ Wird die Zeit, die man in der Sprechstunde ist, vom Gehalt abgezogen?
- ☐ Muss der Arbeitgeber zustimmen, wenn man die Sprechstunde nutzen möchte?
- ☐ Muss man dem Vorgesetzten sagen, warum man die Sprechstunde besucht?
- ☐ Muss man Bescheid geben, wenn man zur Sprechstunde geht? Wenn ja, wem?

b Welche Antworten gibt es auf die Fragen? Markieren Sie. Sie fragen – Ihr/e Lernpartner/in antwortet.

B3 Sie bekommen die folgenden Informationen und sollen daraus Bekanntmachungen für das Schwarze Brett schreiben. Achten Sie darauf, dass nicht alle Details für die Öffentlichkeit bestimmt sind. Denken Sie an eine passende Überschrift. **AB**

1. Andreas Leistner hat sich bei einem Unfall im Lager schwer verletzt. Er liegt mit gebrochenem Bein im Krankenhaus und wird anschließend wohl einige Zeit ausfallen, weil er zur Reha muss. Die Geschäftsführung ist aufgebracht, weil die bekannten und in allen Hallen gut sichtbar ausgehängten Unfallschutzmaßnahmen nicht eingehalten wurden. Sie betont nachdrücklich, dass sie unbedingt beachtet werden müssen.

2. Marianne Gassner ist beim Skifahren gestürzt und für mindestens zwei Monate krankgeschrieben. Bis eine Vertretung gefunden ist, werden die Sprechzeiten des Personalbüros am Montag und Freitag gestrichen.

C ein Gespräch mit dem Betriebsrat führen

35 **C1 | a** Seit Dana Scott Betriebsrätin ist, kommen ihre Kolleginnen und Kollegen zu ihr und bitten um Hilfe. Lesen Sie das Gespräch und ordnen Sie die Gesprächsabschnitte. Hören Sie dann das Gespräch und vergleichen Sie.

....

Dana Scott:	Wie wär's denn, wenn Sie mit Frau Klinger sprechen? Sie als Ihre Vorgesetzte wäre der richtige Ansprechpartner.
Herr Ellert:	Das habe ich schon getan, aber sie hat gesagt, dass sich daran nichts ändern lässt. Das kann doch nicht sein! Kann man mich einfach ohne meine Zustimmung versetzen?
Dana Scott:	Nur die Ruhe. So einfach geht das nicht.

....

| | Herr Ellert, worum geht es? |
| Herr Ellert: | Frau Scott, ich habe da ein Problem: Ich war vier Jahre auf der Kinderstation, da war ich auch zufrieden und jetzt bin ich einfach versetzt worden. Ich möchte aber auf der Kinderstation arbeiten, da fühle ich mich viel wohler. Was mache ich denn da jetzt am besten? |

1

Dana Scott:	Guten Tag, Herr Ellert.
Herr Ellert:	Guten Tag Frau Scott. Gut, dass es endlich die Betriebsratssprechstunde gibt!
Dana Scott:	Ja, das finde ich auch. So ist der Betriebsrat besser für alle erreichbar.

Begrüßung

....

	Dann möchte ich den Vorschlag machen, dass wir zusammen mit Frau Klinger sprechen. Sind Sie damit einverstanden?
Herr Ellert:	Wenn Sie mitkommen, natürlich.
Dana Scott:	Gut, dann mache ich einen Termin und sage Ihnen dann Bescheid.

.... **b** Welches Problem hat Herr Ellert? Welchen Vorschlag macht die Betriebsrätin?

.... **c Was geschieht in welchem Abschnitt? Ordnen Sie zu.** ~~Begrüßung~~ | Frage nach Problem/Problemschilderung und Bitte um Rat | Vorschlag/Ablehnung und Bitte um Rat | Vorschlag/Zustimmung

.... **C2 Was sagt die Betriebsrätin, was der Kollege? Ordnen Sie die Redemittel.** AB

~~Worum geht es?~~ | Was ist Ihr Problem? | Es geht um Folgendes: | Stellen Sie mir bitte Ihr Problem dar! | Ich habe folgendes Problem: | Was mache ich denn da jetzt am besten? | Nur mit der Ruhe! | Wie wär's denn, wenn Sie (mit) … (sprechen)? | Können Sie mir einen Rat geben? | Dann möchte ich den Vorschlag machen, dass … | Wozu würden Sie mir raten? | Wenn Sie wollen/einverstanden sind, können wir … | Sind Sie damit einverstanden?

Betriebsrätin	**Kollege**
Worum geht es?	

C3 | a Was hat Dana Scott gefragt, was Herr Ellert? Markieren Sie im Gespräch in C1 die Fragen und formulieren Sie dazu indirekte Fragesätze.

.... **b Bei welchen Fragen steht „ob", bei welchen das Fragewort?** AB

> **Indirekte Fragesätze**
> S. 87
>
> Dana Scott: „Herr Ellert, **worum** geht es?"
> → Dana Scott fragte Herrn Ellert, **worum** es geht.
> Dana Scott: „Ist alles in Ordnung?"
> → Dana Scott fragte, **ob** alles in Ordnung ist.

C4 Rollenspiel: Arbeiten Sie zu zweit. Wählen Sie eine der Situationen und schreiben Sie ein ähnliches Gespräch wie in C1. Gliedern Sie das Gespräch wie in C1 und verwenden Sie die Redemittel aus C2. AB

Situation 1 Ihr Chef reagiert ungeduldig, wenn Sie etwas nicht gleich verstehen und deshalb nachfragen müssen. Sie fühlen sich deswegen von ihm schlecht behandelt. Ihr Deutsch ist zwar noch nicht perfekt, aber Sie besuchen gerade einen Deutschkurs.

Situation 2 Wegen der Geburt eines Kindes wollen Sie Teilzeit arbeiten, und zwar von Dienstag bis Donnerstag, weil Ihr Kind zu dieser Zeit betreut ist. Die Geschäftsleitung will aber, dass Sie an vier Tagen kommen.

Lektion 15

Marek Prazak möchte sich beruflich verändern

Marek Prazak, Kaufmann für Marketingkommunikation, arbeitet seit fünf Jahren in einer Eventagentur. Eigentlich mag er seinen Beruf sehr, doch seit einiger Zeit wächst seine Unzufriedenheit. Gründe dafür sind Arbeitstage von bis zu zwölf und manchmal sogar mehr Stunden, ständiger Zeitdruck und ein verhältnismäßig geringes Gehalt. Er denkt daran, sich beruflich zu verändern, weiß aber nicht genau, in welche Richtung. Ein Bekannter empfiehlt ihm, sich beraten zu lassen.

1 | a „Würden Sie heute den gleichen Beruf noch einmal ergreifen?" Welche Ergebnisse liefert eine Umfrage mit dieser Frage? Was meinen Sie? Ordnen Sie die Antworten der Grafik zu.

1. „Auf jeden Fall. Ich liebe meinen Beruf!"
2. „Ich würde wieder die gleiche Richtung einschlagen, aber zielgerichteter vorgehen."
3. „Ich würde etwas ganz anderes machen."

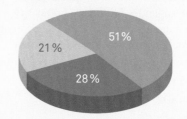

Die Ergebnisse der Umfrage finden Sie auf Seite 88.

b Wie würden Sie diese Frage beantworten?

2 Es gibt verschiedene Möglichkeiten, sich beruflich zu verändern. Suchen Sie in Gruppen aus der Tabelle die zwei Möglichkeiten aus, die Sie am besten finden. Welche Weiterbildungsmaßnahmen kennen Sie, die sich dafür eignen? Ergänzen Sie in der Tabelle.

sich an die Entwicklungen des Berufes anpassen	Karriere machen	den Beruf wechseln	sich selbstständig machen
eine Schulung für ein neues Computer-Programm machen			

3 Welche der Möglichkeiten aus Aufgabe 2 passt Ihrer Meinung nach am besten zu Marek Prazak? Sprechen Sie.

A eine Radiosendung verstehen

A1 **Lesen Sie die Aussagen 1–13. Hören Sie dann eine Radiosendung zum Thema „Beruflich neu durchstarten".**
Wer sagt was? Kreuzen Sie an. AB

	Moderator	J. Voigt	R. Neuer	H. Lauber
1. Julian Voigt ist Coach, er berät Leute bei beruflichen Veränderungen.	☐	☐	☐	☐
2. Nach dem Studium habe ich ein paar Jahre in einer Unternehmensberatung gearbeitet.	☐	☐	☐	☐
3. Bei der Planung eines Neuanfangs muss man auch auf andere Menschen Rücksicht nehmen.	☐	☐	☐	☐
4. Es lohnt sich auf jeden Fall, den Mut zu haben und etwas Neues zu beginnen.	☐	☐	☐	☐
5. Lohnt sich ein Studium wirklich immer?	☐	☐	☐	☐
6. Jemand, der sein Wissen und seine Fähigkeiten für den Neustart nutzen kann, braucht keine neue Ausbildung.	☐	☐	☐	☐
7. Man sollte sich für die detaillierte Planung fremde Hilfe holen.	☐	☐	☐	☐
8. An wen kann man sich wenden, wenn man über eine berufliche Neuorientierung nachdenkt?	☐	☐	☐	☐
9. Für einen Neustart spielt auch die Mobilität eine Rolle.	☐	☐	☐	☐
10. Welche Motive für einen Neustart gibt es?	☐	☐	☐	☐
11. Es gibt recht viele Institutionen, die Unterstützung anbieten.	☐	☐	☐	☐
12. Ein Neustart kann ziemlich viel Geld kosten.	☐	☐	☐	☐
13. Man darf nicht sein ganzes Geld in die Selbstständigkeit investieren.	☐	☐	☐	☐

A2 **Lesen Sie die Aufgaben zu den Abschnitten der Sendung.**
Hören Sie die Abschnitte dann noch einmal und lösen Sie die Aufgaben. AB

Abschnitt 1

Sind die folgenden Aussagen richtig oder falsch? Kreuzen Sie an.

	r	f
1. Julian Voigt war durch äußere Umstände selbst zu einem Neustart gezwungen.	☐	☐
2. Julian Voigt hat sich nach seiner Entlassung sofort selbstständig gemacht.	☐	☐
3. Die Neuorientierung darf keine Flucht vor beruflichen Problemen sein.	☐	☐
4. Julian Voigt hält es für sehr wichtig, seine Situation und seine Pläne genau zu analysieren.	☐	☐
5. Die Informationen von Leuten, die sich negativ äußern, sollte man nicht beachten.	☐	☐

Abschnitt 2

1. Welche Motive für den beruflichen Neuanfang nennt Julian Voigt? Kreuzen Sie an.

☐ langfristige Planung   ☐ persönliche Beziehungen   ☐ Entdeckung eines faszinierenden Berufs
☐ Abenteuerlust   ☐ berufliche Krise   ☐ ausbleibender beruflicher Erfolg

2. Von wem kann man Hilfe bekommen? Kreuzen Sie an.

☐ Familie, Freunde, Bekannte   ☐ Banken   ☐ Industrie- und Handelskammern
☐ Beratungsstellen in Großstädten   ☐ Coaches   ☐ Finanzamt   ☐ Internet

3. Welchen abschließenden Rat gibt Julian Voigt?

....

A3 **Wird ein beruflicher Neustart in dieser Radiosendung eher positiv oder eher negativ dargestellt?**
Wie sieht man so eine Neuorientierung in Ihrem Heimatland? Sprechen Sie. AB

> **eine fremde Meinung darstellen**
> ... sehen berufliche Neustarts positiv/negativ ...
> ... haben eine positive/negative Meinung/Einstellung zu ...
> ... äußern sich positiv/kritisch ...
> ... betonen die positiven/negativen Seiten ...

B Weiterbildungsangebote recherchieren

B1 | a Die folgenden Personen möchten sich weiterbilden. In welchem Stadium der Planung sind sie?
Markieren Sie in den Situationen die wichtigsten Schlüsselwörter.

1. Herr S. hat ==schon eine Idee==, welche Weiterbildung er machen möchte, und will ==überprüfen==, ob es ==in seiner Nähe entsprechende Angebote== gibt.
2. Frau M. möchte sich zuerst einmal ganz allgemein informieren, welche verschiedenen Weiterbildungsmöglichkeiten es gibt.
3. Herr T. hat sich schon fast entschieden, muss aber noch nachrechnen, ob er sich die Weiterbildung finanziell leisten kann.
4. Herr D. hat sich einen Kurs ausgesucht und möchte wissen, ob es sich um einen seriösen Anbieter handelt.
5. Frau B. möchte sich selbstständig machen und sucht jemanden, mit dem sie ihre Pläne besprechen kann und der ihr Tipps gibt.
6. Herrn U. gefällt es in seinem Unternehmen gut und er möchte dort weiterkommen.
7. Frau R. will sich beruflich verändern und möchte wissen, wie man das richtig plant.

b Welches Informationsangebot zum Thema „Berufliche Weiterbildung" passt zu welcher Situation in a?
Ordnen Sie zu. AB

A ....

B ....

C ....

D ....

E ....

F ....

G ....

H ....

B2 Recherchieren Sie im Internet nach einer Weiterbildung, die Sie vielleicht einmal machen möchten.
Informieren Sie sich über Inhalte und Abschlüsse, über Anbieter und Kosten. Berichten Sie dann über
„Ihre Weiterbildung" im Kurs. AB

C einen Erfahrungsbericht verstehen

C1 | a **Lesen Sie, welche Erfahrungen Rainer Gerbes mit seiner Weiterbildung gemacht hat und ordnen Sie die Stichwörter den Abschnitten zu.**

A Erste Erfahrungen | B Verändertes Freizeitverhalten | C Fazit |
D Situation vor Beginn der Weiterbildung | E Motivation | F Zeitaufwand

.... Seit ich meine Ausbildung als Industriemechaniker abgeschlossen habe, arbeite ich bei Kamphausen in Ahlen. Das Unternehmen hat knapp 1000 Mitarbeiter und produziert Maschinen zur Herstellung von technischen Textilien. Mir war schon immer klar, dass ich im Beruf etwas erreichen möchte, und auch, dass ich dafür etwas tun muss. Das Nächstliegende war die Technikerausbildung. Ich kenne einige, die das gemacht haben und dann auch ganz gute Jobs bekommen haben. Zum Beispiel mein Chef, also mein 5
Abteilungsleiter.

A Vor gut einem Jahr habe ich meine Ausbildung zum staatlich geprüften Maschinenbautechniker begonnen. Zweimal pro Woche fahre ich abends nach der Arbeit zur Fachschule für Technik. Unterricht ist dann von 18 bis 21 Uhr. Außerdem habe ich auch samstags Schule, von 8 bis 14 Uhr. Das ist anstrengend, vor allem abends – nach acht Stunden Arbeit. 10

.... Und dann braucht man auch noch Zeit zum Lernen, zur Vorbereitung des Unterrichts und der Prüfungen. Das hatte ich am Anfang unterschätzt. Inzwischen habe ich das ganz gut im Griff, denn schließlich lohnt sich ja der ganze Aufwand nicht, wenn hinterher die Noten nicht stimmen.

.... Früher habe ich sehr viel Sport gemacht, fast jeden Tag. Das musste ich stark reduzieren, aber zwei Stunden am Sonntag habe ich dafür eigentlich immer Zeit. Und ich gehe abends auch nicht mehr so viel aus, höchs- 15
tens mal am Samstagabend, aber auch dann nicht mehr so lang wie früher.

.... Mein „Nebensitzer" hat zwei Kinder, da ist es natürlich schwieriger. Er möchte am Wochenende etwas mit der Familie unternehmen und er findet oft nicht die Ruhe, um sich auf den Unterricht und die Prüfungen gründlich vorzubereiten. Und es gibt auch zwei Kollegen, die die Ausbildung wieder aufgegeben haben. Denen wurde die Belastung durch Arbeit, Unterricht, Lernen und Familie zu viel. Ich habe noch keine 20
Kinder, dann geht das besser. Außerdem war mir von vornherein klar, dass die Ausbildung viel Arbeit bedeutet. Das haben mir meine Bekannten und mein Chef ganz deutlich gesagt. Und die motivieren mich auch immer, wenn ich einen Durchhänger habe. Die Motivation ist wahrscheinlich der entscheidende Punkt. Wenn man nicht unbedingt das Ziel erreichen möchte und dafür einiges in Kauf nimmt, ist die Versuchung zu groß, sich ablenken zu lassen. Schließlich sind vier Jahre eine lange Zeit. 25

.... Aber mir macht es Spaß, etwas Neues zu lernen. Und ich finde die Schule gut. Dort habe ich auch einige neue Freunde gefunden und wir können uns gegenseitig unterstützen und motivieren. Ganz am Anfang habe ich mir kurz überlegt, ob ich die Ausbildung nicht im Fernstudium machen soll. Ich glaube, das wäre nichts für mich gewesen – ganz alleine und ohne den Kontakt zu den Kollegen, die in der gleichen Situation sind.

.... b **Lesen Sie noch einmal. Sind die folgenden Aussagen richtig oder falsch? Kreuzen Sie an.**   r   f

1. Die Weiterbildung zum Maschinenbautechniker dauert vier Jahre. ☐ ☐
2. Zunächst glaubte Rainer Gerbes, dass er nicht so viel Zeit fürs Lernen braucht. ☐ ☐
3. Rainer Gerbes arbeitet Vollzeit und geht dreimal pro Woche in die Fachschule. ☐ ☐
4. Rainer Gerbes ist beruflich nicht besonders ehrgeizig. ☐ ☐
5. Rainer Gerbes ist Industriemechaniker von Beruf und arbeitet in einem Textilunternehmen. ☐ ☐
6. Für die Weiterbildung hat er seine Freizeitaktivitäten stark eingeschränkt. ☐ ☐
7. In die Weiterbildung muss man über den Unterricht hinaus viel Zeit investieren. ☐ ☐
8. Er meint, dass es sich nicht lohnt, sehr viel zu lernen, sich auf den Unterricht und die Prüfungen vorzubereiten. ☐ ☐
9. Rainer Gerbes hatte vorab bereits viele Informationen über die Weiterbildung bekommen. ☐ ☐

C2 **Was und wer motiviert Rainer Gerbes? Glauben Sie, dass er die Weiterbildung erfolgreich abschließen kann?** AB

C3 **Wäre eine solche Weiterbildung etwas für Sie? Sprechen Sie in Gruppen.**

Arbeitszeugnis – was wichtig ist

Extra

Marek Prazak hat eine neue Stelle mit mehr Verantwortung und auch mit einem besseren Gehalt gefunden und in seiner bisherigen Firma gekündigt. Er hat seinen bisherigen Arbeitgeber um ein Zeugnis gebeten.

1 | a Lesen Sie das Arbeitszeugnis und schreiben Sie die Wörter an die richtige Stelle.

Angaben zur Person und Dauer der Beschäftigung | ~~Aufgabenbeschreibung~~ | Leistungsbeurteilung | Verhaltensbeurteilung | Angaben über Gründe des Ausscheidens | Dankes-Bedauern-Formel | Zukunftswünsche

Zeugnis

Herr Marek Prazak, geb. am 15. 2. 1980, war in der Zeit vom 1. Januar 2007 bis zum 31. September 2012 als Kaufmann für Marketingkommunikation in meiner Agentur beschäftigt.

Aufgabenbeschreibung

Zu seinen Aufgaben gehörten folgende Tätigkeiten:
– Marketingkonzepte vorbereiten und planen: Dazu gehörte insbesondere das Festlegen von Mitteln wie klassische Werbung, Events, Online- und Direktmarketing   5
– Marketing- und Kommunikationsmaßnahmen durchführen und kontrollieren
– Mit Kunden Beratungsgespräche führen und Arbeitsergebnisse präsentieren
– Projekte organisieren und betreuen: Aufgaben im Team verteilen und bearbeiten
– Eingehende Rechnungen prüfen und weiterleiten   10

In den fünf Jahren seiner Tätigkeit habe ich Herrn Prazak als einen sehr ehrlichen und stets pünktlichen Mitarbeiter kennen- und schätzen gelernt. Er führte seine Arbeiten immer mit großem Engagement, Fleiß, unbedingter Zuverlässigkeit und stets zu unserer vollsten Zufriedenheit aus. Ferner erledigte er seine Aufgaben sehr ordentlich, zügig und gewissenhaft und wusste sein Fachwissen immer erfolgreich   15
einzubringen.

Herrn Prazaks Leistungen waren stets sehr gut.

Er war wegen seines immer freundlichen und kollegialen Umgangs bei seinen Vorgesetzten und Kollegen gleichermaßen beliebt. Gegenüber den Kunden war er ebenfalls stets hilfsbereit und zuvorkommend. Herr Prazak hat das Beschäftigungs-   20
verhältnis fristgemäß auf eigenen Wunsch gelöst, um sich neuen beruflichen Aufgaben zu stellen. Ich bedaure sein Ausscheiden aus unserer Agentur und wünsche Herrn Prazak auf seinem weiteren Berufs- und Lebensweg alles Gute, viel Glück und Erfolg.

München, 5. Oktober 2012

P. Noss

Dr. Peter Noss

b Lesen Sie das Zeugnis noch einmal und kreuzen Sie an:
Was ist richtig? Was ist falsch?

	r	f
1. Marek Prazak hat mehr als 5 Jahre in einer Werbeagentur gearbeitet.	☐	☐
2. Zu seinen Aufgaben gehörte auch die Durchführung von Präsentationen bei den Kunden.	☐	☐
3. Marek Prazaks Leistungen wurden sehr gut beurteilt.	☐	☐
4. Seine Umgangsformen mit den Kollegen und Kunden waren ausgezeichnet.	☐	☐
5. Marek Prazak hat gekündigt, weil er ins Ausland geht.	☐	☐

2 Lesen Sie die Aussagen 1–10 und dann den folgenden Text.
Markieren Sie im Text, wo diese Aussagen stehen, und notieren Sie die Zeilennummer.

1. Arbeitszeugnisse spielen eine mitentscheidende Rolle bei Bewerbungen. Zeile ....
2. Mit Zeugnissen kann man nachweisen, welche Tätigkeiten man ausgeübt hat. Zeile ....
3. Man unterscheidet zwischen einfachen und qualifizierten Arbeitszeugnissen. Zeile ....
4. Einfache Arbeitszeugnisse enthalten keine wertenden Aussagen. Zeile ....
5. Bei einer Bewerbung kann ein einfaches Arbeitszeugnis negative Folgen haben. Zeile ....
6. Das Zeugnis muss der Wahrheit entsprechen und darf dem Arbeitnehmer nicht schaden. Zeile ....
7. Für Arbeitszeugnisse gibt es eine besondere Notenskala, die keine negativen Wörter enthält. Zeile ....
8. Es ist unter Umständen auch wichtig, was nicht im Zeugnis steht. Zeile ....
9. Bei Kündigung muss der Arbeitgeber ein qualifiziertes Arbeitszeugnis ausstellen. Zeile ....
10. Ein Zwischenzeugnis kann man z. B. verlangen, wenn man von der Neuorganisation
    des Unternehmens betroffen ist. Zeile ....

Stets sehr gut

Was man über Arbeitszeugnisse wissen sollte

Zeugnisse kennt man aus der Schulzeit. Sie sollen den Schulbesuch bestätigen und Leistungen beurteilen.
Dieses Ziel haben auch Arbeitszeugnisse. Bei einer Bewerbung ist es wichtig, die Berufstätigkeit und Praktika
lückenlos mit positiven Arbeitszeugnissen belegen zu können. Und meistens sind sie der einzige Nachweis dafür,
was man beruflich mit welchem Erfolg gemacht hat.

5   Es gibt verschiedene Arten von Arbeitszeugnissen: das einfache und das qualifizierte Arbeitszeugnis. Das einfache Arbeitszeugnis beschreibt lediglich die Art und Dauer der Beschäftigung und enthält keine Bewertung der
Leistungen. Das reicht für eine Bewerbung meist nicht aus. Es kann sogar den Verdacht wecken, der Bewerber
legt absichtlich kein qualifiziertes Zeugnis vor, weil das eine schlechte Beurteilung enthalten würde. Man sollte
deshalb immer ein qualifiziertes Arbeitszeugnis verlangen, das auch die Leistung und das Verhalten beurteilt.

10 Jeder hat ein Recht auf ein wohlwollendes Arbeitszeugnis. Da die Arbeitgeber aber zur Wahrheit verpflichtet sind,
werden die Leistungen mit einer besonderen „Notenskala" umschrieben. Das klingt manchmal ganz anders, als es
gemeint ist.

In der Zeugnissprache werden Noten über unterschiedliche Stufen von Lob vergeben. Ein schwaches Lob signa-
lisiert eine ausreichende Leistung (Note 4). Je besser die Note wird, desto deutlicher wird das Lob. Bei der Note 1
15 klingt das übertrieben – gemessen an der normalen Sprache.
„stets zu unserer vollsten Zufriedenheit" = Note 1
„stets zu unserer vollen Zufriedenheit"   = Note 2
„stets zu unserer Zufriedenheit"   = Note 3
„zu unserer Zufriedenheit"   = Note 4

20 Kritik, also z. B. die Note 5, wird besonders verschlüsselt, zum Beispiel dadurch, dass der Punkt gar nicht erwähnt
wird und im Zeugnis dann ganz offensichtlich fehlt. Die Zeugnissprache ist sehr schwierig zu verstehen, im Zwei-
felsfall sollte man sich von Fachleuten beraten lassen, wie der Inhalt zu interpretieren ist.

Für ein einfaches Arbeitszeugnis kann es viele Gründe geben, z. B. betriebliche Veränderungen wie die Übernahme
durch ein anderes Unternehmen oder die Versetzung in eine andere Abteilung. Oder der Arbeitnehmer möchte sich
25 aus einer ungekündigten Anstellung neu bewerben, dies aber seinem Arbeitgeber nicht sagen, um das Verhältnis
nicht zu belasten, sollte die Bewerbung erfolglos sein. Ein qualifiziertes Arbeitszeugnis bekommt man, wenn man
seine Stelle gekündigt hat oder wenn man gekündigt wurde und sich deswegen neu bewerben muss. Darauf hat
man einen gesetzlichen Anspruch, der Arbeitnehmer kann es nicht verweigern.

3 Über den Sinn von Arbeitszeugnissen lässt sich auch streiten:
Inwieweit entspricht die Bewertung tatsächlich der Leistung? Wie ist Ihre Meinung
zum Thema Arbeitszeugnisse? Gibt es in Ihrem Heimatland Arbeitszeugnisse?

seinen Ärger ausdrücken
So eine Unverschämtheit!
Immer das Gleiche!
Das kann ja wohl nicht sein.

sich entschuldigen
Verzeihen Sie, das hatte ich falsch verstanden.
Es war eigentlich nicht so gemeint.

einen Fehler einräumen
Das ist/war mein Fehler.

Lösungsideen sammeln – vorschlagen
Wie wäre es, wenn ...
Vielleicht können wir uns so einigen, dass ...

nach dem Problem/Anliegen fragen
Worum geht es?
Was ist Ihr Problem?
Stellen Sie mir bitte Ihr Problem dar!

Problemschilderung
Es geht um Folgendes:
Ich habe folgendes Problem:

um Rat bitten
Was mache ich denn da jetzt am besten?
Können Sie mir einen Rat geben?
Wozu würden Sie mir raten?

beschwichtigen
Nur mit der Ruhe!

Vorschlag machen
Wie wär's denn, wenn Sie (mit) ... (sprechen)?
Dann möchte ich den Vorschlag machen, dass ...
Wenn Sie wollen/einverstanden sind, können wir ...

eine fremde Meinung darstellen
... sehen berufliche Neustarts positiv/negativ ...
... haben eine positive/negative Meinung/
  Einstellung zu ...
... äußern sich positiv/kritisch ...
... betonen die positiven/negativen Seiten ...

Audio-Training: www.hueber.de/im-beruf/lernen

S. 74 | Modalpartikeln

Partikeln können die Aussage des Satzes verstärken, abschwächen oder modifizieren:

Er hat sich wohl verirrt.	offensichtlich, es scheint so
Das kann man doch nicht machen.	selbstverständlich
Kannst du mir bitte mal helfen?	Bitte, weniger direkt
Er kommt ja immer zu spät.	allgemein bekannt, relativierend
Das ging aber schnell.	unerwartet, Erstaunen
Wann kommst du denn endlich?	drängelnd, echtes Interesse

S. 79 | Indirekte Fragen

Herr Ellert: „Was soll ich machen?" → Herr Ellert hat gefragt, was er machen soll.
Herr Schmidt: „Wie viel Urlaub steht mir zu?" → Herr Schmidt will wissen, wie viel Urlaub ihm zusteht.

Indirekte Fragesätze sind Nebensätze, das Verb steht am Ende.
Nach direkten Fragen steht ein Fragezeichen, nach indirekten Fragesätzen ein Punkt.

Herr Ellert: „Was soll ich machen?" → Herr Ellert hat gefragt, was er machen soll.
Dana Scott: „Ist alles in Ordnung?" → Dana Scott fragte, ob alles in Ordnung ist.

Indirekte Fragen werden mit dem Fragepronomen eingeleitet. Wenn die direkte Frage kein Fragepronomen hat (Ja-Nein-Frage), wird die indirekte Frage mit ob eingeleitet.

Herr Ellert: „Was soll ich machen?" → Herr Ellert hat gefragt, was er machen soll.
Frau Müller: „Treffen Sie übermorgen Herrn Meier?"
→ Frau Müller wollte wissen, ob ich am Freitag Herrn Meier treffe.
Alexander Sober: „Waren Sie schon einmal bei uns zu Gast?"
→ Der Herr am Empfang hat ihn gefragt, ob er schon einmal im Hotel Krone zu Gast war.

Bei der Umformulierung von direkten Fragen in indirekte Fragen muss man beachten, dass Pronomen angepasst werden müssen (ich → er), eventuell auch Orts- und Zeitangaben.

Lösungen zu den Grafiken

Seite 53

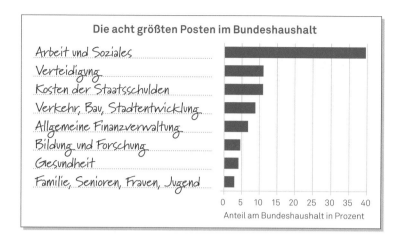

Seite 68

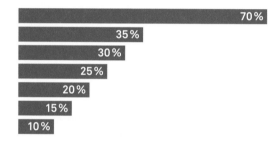

70 %	Unpünktlichkeit, Verspätungen
35 %	nicht eingehaltene Versprechungen
30 %	Meinungen, Ansichten
25 %	unpassende Kleidung, schlechtes Benehmen
20 %	Unehrlichkeit
15 %	fehlendes Engagement
10 %	Unordentlichkeit

Seite 80

„Ich würde etwas ganz anderes machen."

„Auf jeden Fall. Ich liebe meinen Beruf!"

51 %

21 %

28 %

„Ich würde wieder die gleiche Richtung einschlagen, aber zielgerichteter vorgehen."

Zur Wiederholung: Übersicht über die Adjektivdeklination

Das Artikelwort trägt das Kasussignal. Gibt es kein Artikelwort, trägt das Adjektiv das Kasussignal (bei Maskulinum und Neutrum Genitiv das Nomen).

			mit Artikelwort	ohne Artikelwort
Maskulinum	Singular	N	der synthetische Zusatzstoff	synthetischer Zusatzstoff
		A	den synthetischen Zusatzstoff	synthetischen Zusatzstoff
		D	dem synthetischen Zusatzstoff	synthetischem Zusatzstoff
		G	des synthetischen Zusatzstoffes	synthetischen Zusatzstoffes
Neutrum	Singular	N	das frische Brot	frisches Brot
		A	das frische Brot	frisches Brot
		D	dem frischen Brot	frischem Brot
		G	des frischen Brotes	frischen Brotes
Femininum	Singular	N	die gesetzliche Vorgabe	gesetzliche Vorgabe
		A	die gesetzliche Vorgabe	gesetzliche Vorgabe
		D	der gesetzlichen Vorgabe	gesetzlicher Vorgabe
		G	der gesetzlichen Vorgabe	gesetzlicher Vorgabe
	Plural	N	die frischen Brote	frische Brote
		A	die frischen Brote	frische Brote
		D	den frischen Broten	frischen Broten
		G	der frischen Brote	frischer Brote

Der unbestimmte Artikel (*ein*, …), der Possessivartikel (*mein*, …) und der negative Artikel (*kein*, …) tragen im Maskulinum Nominativ und im Neutrum Nominativ und Akkusativ Singular kein Kasussignal.

Maskulinum	Singular	N		ein synthetischer Zusatzstoff
		A	einen synthetischen Zusatzstoff	
		D	einem synthetischen Zusatzstoff	
		G	eines synthetischen Zusatzstoffes	
Neutrum	Singular	N		ein frisches Brot
		A		ein frisches Brot
		D	einem frischen Brot	
		G	eines frischen Brotes	
Femininum	Singular	N	eine gesetzliche Vorgabe	
		A	eine gesetzliche Vorgabe	
		D	einer gesetzlichen Vorgabe	
		G	einer gesetzlichen Vorgabe	
	Plural	N	keine frischen Brote	
		A	keine frischen Brote	
		D	keinen frischen Broten	
		G	keiner frischen Brote	

Liste der wichtigsten unregelmäßigen Verben

Aufgeführt sind in der Regel nur die Grundverben, nicht Ableitungen aus diesen Verben
(also z. B. nur *fallen*, nicht aber *gefallen* oder *auffallen*). Die regelmäßigen Formen sind grau gedruckt.

backen	backt (bäckt), backte (buk), hat gebacken
beginnen	beginnt, begann, hat begonnen
beißen	beißt, biss, hat gebissen
betrügen	betrügt, betrog, hat betrogen
biegen	biegt, bog, hat gebogen
bieten	bietet, bot, hat geboten
binden	bindet, band, hat gebunden
bitten	bittet, bat, hat gebeten
blasen	bläst, blies, hat geblasen
bleiben	bleibt, blieb, ist geblieben
braten	brät, briet, hat gebraten
brechen	bricht, brach, hat gebrochen
brennen	brennt, brannte, hat gebrannt
bringen	bringt, brachte, hat gebracht
denken	denkt, dachte, hat gedacht
dringen	dringt, drang, ist/hat gedrungen
dürfen	darf, durfte, hat gedurft/dürfen
empfehlen	empfiehlt, empfahl, hat empfohlen
erschrecken	erschrickt, erschrak, ist erschrocken (*Ich erschrak.* Regelmäßige Variante: *Er erschreckte mich.*)
erwägen	erwägt, erwog, hat erwogen
essen	isst, aß, hat gegessen
fahren	fährt, fuhr, ist/hat gefahren
fallen	fällt, fiel, ist gefallen
fangen	fängt, fing, hat gefangen
finden	findet, fand, hat gefunden
fliegen	fliegt, flog, ist/hat geflogen
fliehen	flieht, floh, ist geflohen
fließen	fließt, floss, ist geflossen
fressen	frisst, fraß, hat gefressen
frieren	friert, fror, hat gefroren
geben	gibt, gab, hat gegeben
gedeihen	gedeiht, gedieh, ist gediehen
gehen	geht, ging, ist gegangen
gelingen	gelingt, gelang, ist gelungen
gelten	gilt, galt, hat gegolten
genießen	genießt, genoss, hat genossen
geschehen	geschieht, geschah, ist geschehen
gewinnen	gewinnt, gewann, hat gewonnen
gießen	gießt, goss, hat gegossen
gleichen	gleicht, glich, hat geglichen
gleiten	gleitet, glitt, ist geglitten
graben	gräbt, grub, hat gegraben
greifen	greift, griff, hat gegriffen
haben	hat, hatte, hat gehabt
halten	hält, hielt, hat gehalten
hängen	hängt, hing, hat gehangen (*Das Bild hing an der Wand.* Regelmäßige Variante: *Er hängte das Bild an die Wand.*)
hauen	haut, haute (hieb), hat gehauen
heben	hebt, hob, hat gehoben
heißen	heißt, hieß, hat geheißen
helfen	hilft, half, hat geholfen
kennen	kennt, kannte, hat gekannt
klingen	klingt, klang, hat geklungen
kommen	kommt, kam, ist gekommen
können	kann, konnte, hat gekonnt/können
laden	lädt, lud, hat geladen
lassen	lässt, ließ, hat gelassen
laufen	läuft, lief, ist gelaufen
leiden	leidet, litt, hat gelitten
leihen	leiht, lieh, hat geliehen
lesen	liest, las, hat gelesen
liegen	liegt, lag, hat gelegen
lügen	lügt, log, hat gelogen
mahlen	mahlt, mahlte, hat gemahlen
meiden	meidet, mied, hat gemieden
messen	misst, maß, hat gemessen
mögen	mag, mochte, hat gemocht
müssen	muss, musste, hat gemusst/müssen
nehmen	nimmt, nahm, hat genommen
nennen	nennt, nannte, hat genannt
pfeifen	pfeift, pfiff, hat gepfiffen
quellen	quillt, quoll, ist gequollen
raten	rät, riet, hat geraten
reiben	reibt, rieb, hat gerieben
reiten	reitet, ritt, ist/hat geritten

rennen	rennt, rannte, ist gerannt
riechen	riecht, roch, hat gerochen
rufen	ruft, rief, hat gerufen
saufen	säuft, soff, hat gesoffen
schaffen	schafft, schuf, hat geschaffen (*Michelangelo schuf herausragende Werke. Regelmäßige Variante: Ich habe meine Arbeit nicht geschafft.*)
scheiden	scheidet, schied, hat geschieden
scheinen	scheint, schien, hat geschienen
schieben	schiebt, schob, hat geschoben
schießen	schießt, schoss, hat geschossen
schlafen	schläft, schlief, hat geschlafen
schlagen	schlägt, schlug, hat geschlagen
schleichen	schleicht, schlich, ist geschlichen
schleifen	schleift, schliff, hat geschliffen
schließen	schließt, schloss, hat geschlossen
schmeißen	schmeißt, schmiss, hat geschmissen
schmelzen	schmilzt, schmolz, ist/hat geschmolzen
schneiden	schneidet, schnitt, hat geschnitten
schreiben	schreibt, schrieb, hat geschrieben
schreien	schreit, schrie, hat geschrien
schweigen	schweigt, schwieg, hat geschwiegen
schwellen	schwillt, schwoll, ist angeschwollen
schwimmen	schwimmt, schwamm, ist/hat geschwommen
schwinden	schwindet, schwand, ist geschwunden
schwingen	schwingt, schwang, hat geschwungen
schwören	schwört, schwor, hat geschworen (*Präteritum manchmal auch in der regelmäßigen Version: schwörte*)
sehen	sieht, sah, hat gesehen
sein	ist, war, ist gewesen
senden	sendet, sendete (sandte), hat gesendet (gesandt)
singen	singt, sang, hat gesungen
sinken	sinkt, sank, ist gesunken
sitzen	sitzt, saß, hat gesessen
sollen	soll, sollte, hat gesollt/sollen
spinnen	spinnt, spann, hat gesponnen
sprechen	spricht, sprach, hat gesprochen
springen	springt, sprang, ist gesprungen
stechen	sticht, stach, hat gestochen
stehen	steht, stand, hat gestanden
stehlen	stiehlt, stahl, hat gestohlen
steigen	steigt, stieg, ist gestiegen
sterben	stirbt, starb, ist gestorben
stinken	stinkt, stank, hat gestunken
stoßen	stößt, stieß, hat/ist gestoßen
streichen	streicht, strich, hat gestrichen
streiten	streitet, stritt, hat gestritten
tragen	trägt, trug, hat getragen
treffen	trifft, traf, hat getroffen
treiben	treibt, trieb, hat/ist getrieben
treten	tritt, trat, ist/hat getreten
trinken	trinkt, trank, hat getrunken
tun	tut, tat, hat getan
vergessen	vergisst, vergaß, hat vergessen
verlieren	verliert, verlor, hat verloren
verschleißen	verschleißt, verschliss, ist verschlissen
verzeihen	verzeiht, verzieh, hat verziehen
wachsen	wächst, wuchs, ist gewachsen (*Das Gras ist schnell gewachsen. Regelmäßige Variante: Er hat seine Schi gewachst.*)
waschen	wäscht, wusch, hat gewaschen
weisen	weist, wies, hat gewiesen
wenden	wendet, wandte, hat gewandt (*Er hat sich an seinen Chef gewandt. Regelmäßige Variante: Er hat mit dem Auto gewendet.*)
werben	wirbt, warb, hat geworben
werden	wird, wurde, ist geworden
werfen	wirft, warf, hat geworfen
wiegen	wiegt, wog, hat gewogen
wissen	weiß, wusste, hat gewusst
wollen	will, wollte, hat gewollt/wollen
ziehen	zieht, zog, hat/ist gezogen
zwingen	zwingt, zwang, hat gezwungen

Bildquellenverzeichnis

Cover: Frau © fotolia/Alexander Raths; Hintergrund © iStockphoto/svetikd
Seite 8: © Thinkstock/Ingram Publishing
Seite 9: © Thinkstock/Ingram Publishing
Seite 10: oben: © fotolia/Günter Menzl; Mitte von links: © Thinkstock/BananaStock; © Thinkstock/Hemera; © PantherMedia/Frank Herfort; © Thinkstock/iStockphoto; unten von links: © Thinkstock/Stockbyte; © Thinkstock/Digital Vision; © Thinkstock/TongRo Images
Seite 12: © Thinkstock/iStockphoto
Seite 14: Gesundheitskarte © fotolia/openwater; Identifikationsnummer © Hueber Verlag; Sozialversicherungsausweis © Hueber Verlag; Führungszeugnis © fotolia/TwilightArtPictures; Bank Karte © fotolia/PictureP; Führerschein © Bundesdruckerei GmbH
Seite 15: © Josef Hammen
Seite 16: © Hueber Verlag/Florian Bachmeier
Seite 17: oben: © Thinkstock/Fuse; Anna © Clipdealer/Darren Baker; Michael © iStockphoto/rgbspace; Elena © fotolia/andreaxt; Maria © Hueber Verlag/Florian Bachmeier
Seite 19: links © Thinkstock/iStockphoto; rechts © Thinkstock/F1online
Seite 20: oben: links © Thinkstock/Ingram Publishing; rechts © Thinkstock/iStockphoto; Mitte rechts © Thinkstock/Wavebreak Media; Ü1: 1. Reihe von links: © Thinkstock/iStockphoto; © Thinkstock/iStockphoto; © iStockphoto/Nicholas Monu; © Thinkstock/iStockphoto; 2. Reihe von links: © fotolia/Meddy Popcorn; © Thinkstock/iStockphoto; © Thinkstock/Comstock
Seite 24: oben © iStockphoto/Yvan Dubé; unten: links © Hueber Verlag/Florian Bachmeier; rechts © Thinkstock/Comstock
Seite 25: © Hueber Verlag/Florian Bachmeier
Seite 28: © fotolia/contrastwerkstatt
Seite 31: © fotolia/Fotolyse
Seite 32: © ADAC/Dirk Bruniecki
Seite 33: Navigationsgerät © fotolia/fotokalle, Plan © fotolia/fffranz
Seite 35: © Chromorange, Rosenheim
Seite 36: © Thinkstock/Pixland
Seite 37: links © iStockphoto/kristian sekulic; rechts © Thinkstock/Digital Vision
Seite 40: © fotolia/contrastwerkstatt
Seite 41: © Thinkstock/iStockphoto
Seite 42: von links: © Thinkstock/iStockphoto; © Thinkstock/iStockphoto; © Thinkstock/Hemera
Seite 44: © iStockphoto/Jo Unruh
Seite 48: © Thinkstock/iStockphoto
Seite 49: linke Spalte von oben: © Thinkstock/iStockphoto; © iStockphoto/slobo; © fotolia/Klaus Eppele; © fotolia/Manuela Fiebig; rechte Spalte von oben: © Thinkstock/iStockphoto; © iStockphoto/Robert Milek; © Thinkstock/Hemera
Seite 51: © Thinkstock/Comstock
Seite 52: links © Thinkstock/iStockphoto; rechts © Thinkstock/Photodisc
Seite 56: © iStockphoto/Ivan Cholakov
Seite 58: Pikto Augenschutz © fotolia/T. Michel; Schild Vergiftungsgefahr © Hueber Verlag; 1 © fotolia/T. Michel; 2 © fotolia/T. Michel; 3 © fotolia/markus marb; 4 © fotolia/T. Michel; 5 © fotolia/markus marb; 6 © fotolia/T. Michel; 7 © fotolia/markus marb; 8 © fotolia/markus marb; Piktos unten: 1. Unfall melden © fotolia/markus_marb; 2. Erste Hilfe © fotolia/T. Michel
Seite 59: von links: © Thinkstock/iStockphoto; © iStockphoto/Blaz Kure; © iStockphoto/Stockbyte; © fotolia/Kadmy
Seite 60: © Thinkstock/iStockphoto
Seite 62: 1. Reihe von links: © Thinkstock/iStockphoto, © fotolia/sculpies, 2. Reihe von links: © iStockphoto/choicegraphx; © Colourbox/Jean Schweitzer; © iStockphoto/pierivb; 2x © iStockphoto/TommL
Seite 63: © Thinkstock/iStockphoto
Seite 64: © Thinkstock/Creatas
Seite 68: oben © Thinkstock/iStockphoto; unten © iStockphoto/Stockbyte
Seite 72: © Thinkstock/Comstock
Seite 73: © Josef Hammen
Seite 74: oben: links © iStockphoto/Brad Killer; rechts © Hueber Verlag/Florian Bachmeier; ÜB2b: linke Spalte: © iStockphoto/Brad Killer; © iStockphoto/Brad Killer; rechte Spalte: beide © Hueber Verlag/Florian Bachmeier
Seite 76: oben © Thinkstock/iStockphoto; unten © iStockphoto/Stockbyte
Seite 77: © iStockphoto/contrastwerkstatt
Seite 80: © Thinkstock/Digital Vision
Seite 82: A © IHK Köln; B © Bundesagentur für Arbeit; C © Stiftung Warentest; D: Cover „Neue Wege im Berufsleben" von Brigitte Scheidt © 2009, Gabal Verlag, Offenbach; E © Bundesagentur für Arbeit; F © IHK für München und Oberbayern; G © Stiftung Warentest